# 재팬 워처

누가 일본을 보고 있는가

JAPAN WATCHER

## 인명 색인집

심규선

도서출판 월인

# 재팬 워처

## 인명 색인집

연 8,358명

JAPAN WATCHER

누가 일본을 보고 있는가

심규선

도서출판 월인

# 인명 색인집 차례

## 한국인 인명

한글명_8
한자명_102

## 외국인 인명

한글명_104
영문명(한국인 포함)_139
한자명(일본인)_150
가타가나명_152
한자명_153

# 인명 색인집
# 일러두기

**(연 8,358명)**

1. 이 인명 색인집에 수록한 인명은 이 책에 나오는 모든 인명을 망라하고 있다. 현재 살아있는 인물만이 아니라 연구 논문이나 저서 속에 나오는 고대 인물, 소설이나 드라마에 나오는 가상의 인물까지 모두 싣고 있다. 또 각 페이지에 게재한 주석(註釋)이나 설명에 나오는 인물들도 모두 실었다. 중복을 포함하여 연인원 8,358명이다. 한국인이 5,519명이고 외국인(한국인 영어 표기 포함)이 2,839명이다.

2. 같은 페이지에 나오는 동일 인물은 한 번만 표기했다. 예를 들어 1권 200쪽에 '홍길동'이라는 인물이 다섯 번 나와도 '홍길동 1 200'으로 표기했다. 한 개인의 활동을 기록하면서 같은 페이지에 기록되어 있다고 해서 한 번만 표기하는 것은 불합리하다는 지적을 받을 수도 있다. 그렇긴 하지만, 한 페이지에 동일 인물이 여러 번 나오는 것은 당사자가 몸 담고 있는 기관이 주관하는 비슷한 행사에 연이어 참석하거나, 그 기관이 발행하는 내부 자료에 잇따라 글을 쓴 경우가 많기 때문이다. 그렇지 않은 사례도 있지만 한 페이지에서는 한 번만 쓰기로 기준을 통일했다.

3. 색인집을 만들며 가장 힘들었던 것은 동명이인을 가려내는 문제였다. 소속이나 직책이 있는 경우는 동명이인인지를 쉽게 구별할 수 있으나 그렇지 않은 경우는 힘들었다. 동명이인은 가능하면 가려서 실었다. 그러나 확인을 못한 경우는 제3인의 인물로 간주하고 별도로 정리했다.

4. 또 하나 어려웠던 점은 동일 인물이 여러 기관에서 근무했을 경우이다. 예를 들어 '홍길동'이라는 학자가 시차를 두고 가, 나, 다, 라 기관에 근무했을 경우 각 자료마다 소속이 다르게 표시되어 있다. 홍길동이 가, 나, 다, 라 기관에 근무했지만 동일인물이라는 사실을 알 경우에는 한 사람으로 표기했으나, 확실하지 않은 경우에는 별도의 인물로 정리했다. 이는 동일인을 다른 사람으로 정리하는 일은 있어도, 동명이인을 같은 사람으로 정리하는 사례는 막기 위해서다.

5. 이 책에 이름이 올라 있으면서 색인집에 빠진 경우는 없을 것이다. 각 페이지에 나오는 모든 인명을 일일이 기록해 리스트를 만든 뒤 이를 가나다순으로 다시 정리했기 때문이다. 다만, 앞에서 언급했듯 동명이인을 같은 사람으로 정리했거나, 같은 사람을 다른 사람처럼 정리했을 가능성은 있다. (이 경우 당사자의 양해를 구한다. 오류에 대한 해명은 되지 않겠으나 색인집을 만드는 데 대단히 많은 시간과 조사가 필요했다는 점을 밝혀둔다.)

6. 색인집을 만들면서 느꼈던 것을 언급하자면 다음과 같다. 나중에 자료를 찾는 사람을 위해 책자나 논문집에 이름을 실을 경우 이름만이 아니라 소속이나 직책까지 병기해 주는 것이 좋겠다는 생각이 들었다. 목차 등에는 소속을 명기하지 않았으나 본문에는 소속을 밝히고 있으니 문제 될 게 없다고도 할 수 있다. 그러나 모든 논문집이나 저서를 받아보거나 구매할 수 없는 상황에서 온라인을 통해 저자의 소속을 확인하려고 할 경우, 논문 풀텍스트를 다운받아 본문을 확인해야만 하기 때문에 시간이 많이 걸렸다. 또 온라인에서 책을 소개할 경우 저자 약력이 없거나 여러 명이 썼을 경우 주저자만 약력을 소개하는 경우가 많았다. 저자 약력을 알려주는 것은 필수이고, 공동저자들의 약력도 소개할 필요가 있다. 번역자의 경우도 약력이 없거나 공동 번역의 경우 주요 번역자만 소개하는 경우가 많은데 이런 경우도 전 번역자의 약력을 소개하는 것이 바람직하다고 생각한다.

# 한국인 인명

# 한글명

가 혜 1 416
간여운 1 408
감영희 1 443
강경숙 1 98
강경완 1 451 2 31
강경자 2 344
강근형 1 98, 200
강기원 1 99
강기호 1 119
강남욱 2 247
강남주 1 116, 119, 291 2 469
강덕상 1 244, 432
강동국 1 269
강동수 1 291
강동진 1 258, 259
강득구 1 27, 28
강 량 1 163 2 372
강명구 2 171
강명세 2 284
강명숙 1 433
강문구(경남대) 2 58, 59, 60
강문구(숙명여대) 2 375
강문성 2 88
강미정 1 412
강민국 1 27, 28
강민주 1 436
강병규 2 227
강병근 2 88
강병원 1 27, 28
강상구(피아니스트) 1 105
강상구(TV조선) 1 148
강상규 1 391 2 44, 357
강상중 2 144
강석우 2 26, 117
강선주 1 130
강성국 2 36
강성모 1 61
강성문 1 413 2 260, 332
강성봉(삼성여고) 1 123, 124
강성봉(동북아신문) 1 460
강성용 2 167, 171, 358
강성우 2 166
강성욱 1 284
강성은 2 214
강성현 2 71, 170, 188, 190, 192, 214
강소영(한국외대) 2 229, 230, 231
강소영(한국국방연구원) 2 290
강승호 1 123
강신엽 1 95
강신일 1 312

강여린 2 166
강연달 1 119
강연화 2 32, 275
강영규 1 99
강영필 1 149, 271
강영호 1 57
강영훈 1 138, 152
강완주 2 83
강우원용 1 409, 422 2 262, 393
강우진(국가안보전략) 2 311
강우진 2 338
강우진(경북대) 2 363
강우철(서강대) 1 137
강우철(한국수출입은행) 1 398
강원봉(도쿄외국어대) 1 433
강원봉 2 89
강원재 1 374
강원주 2 84
강원택 2 328
강원형 1 324
강 위 1 437
강위석 1 99
강유경 2 331
강유덕 2 339
강유리 2 162
강윤희 2 91, 185, 361
강은미 1 27, 28
강은영 1 436, 438 2 223
강응천 2 329
강의교 1 97
강인덕 2 60, 63, 64
강인선 2 297
강인성 1 99
강인순 2 59
강인욱 2 316
강재언 1 276, 415
강재호 1 433
강정균 2 220
강정숙 1 260, 433
강정욱 1 374
강정원 2 167, 185
강정인 1 98
강정일 2 312
강제숙 1 433
강제훈 1 352
강종규 1 120
강주원 1 461
강준구 2 362
강준모 2 174
강준수 2 205
강준하 1 408, 415 2 259
강지수 2 289
강지연(건양대) 1 448 2 274
강지연(버니지아대) 2 185
강지헌 1 178
강지현 2 42, 344, 392
강지훈 2 35
강진문 2 40
강찬구 1 19, 207, 212 2 19
강찬호 1 208
강창일 1 27, 35, 36, 37, 38, 39, 44, 45, 47, 248, 313, 335 2 112, 114, 213
강천석 1 99
강철구 1 352 2 34, 143, 293, 333, 392

강충구 1 167
강태석 1 381
강태웅 1 96, 174, 395, 409 2 54, 87, 90, 138, 143, 145, 146, 162, 191, 218, 267, 333, 356, 469
강태윤 1 435
강태호(르몽드 디플로마티크 한국판) 1 134
강태호(한겨레신문) 1 205, 206
강태희 1 348
강택구 2 379
강하성 1 200
강한구 1 158, 159
강해수(일본국제기독대) 2 202
강해수(계명대) 2 331
강해운 1 357
강현숙 2 316
강현욱 1 110
강혜경 1 259 2 207
강혜미 1 182
강혜영 1 237
강혜원 2 375
강혜정(번역가) 1 245
강혜정(운동가) 2 191
강호신 1 119
강흥구 1 54
강희석 1 273
강희정 2 132, 350
경광현 1 119
경규달 1 119, 120
경만선 1 119
경세현 1 120
경수현 1 119
경은선 1 120
경제원 1 120
경제희 1 198, 390, 395, 400 2 137, 283, 469
경중선 1 119, 120
경창선 1 116
고 건 1 110
고경윤 2 298
고광인 1 119
고광철 2 252
고길곤 2 172
고길희 1 444
고남식 2 271
고두환 1 273
고명철 2 68, 69, 71
고민경 2 167
고민성 1 348
고병익 1 90, 91, 93
고병철 1 212
고봉준 1 198 2 363
고상두 2 286
고선규 1 131, 198, 390, 394, 395, 396, 398, 399, 403, 414 2 249, 469
고선윤 2 227
고성만(제주대) 2 70
고성만(교토대) 2 183
고성윤 1 159 2 291
고송구 1 123, 124
고수미 1 433
고승우 2 70
고승일 1 136
고연희 2 203

고영란(니혼대) ■1 411, 416, 421 ■2 70, 72, 110, 201, 221, 260
고영란(전북대) ■2 42, 224, 227, 248, 262, 275, 276, 332, 385
고영란 ■2 202
고영란(고려대) ■2 227
고영인 ■1 27, 28
고영진 ■1 451
고영희 ■2 196
고예영 ■1 74
고용진 ■1 28
고원영 ■1 408
고유정 ■2 205
고유환 ■1 155, 352
고은미 ■1 436, 437, 438 ■2 201, 203
고은별 ■2 357
고은숙(유원대) ■2 40
고은숙 ■2 231
고이삼 ■2 114
고일홍 ■2 167, 172, 357
고 종 ■2 222
고주현 ■2 212
고평석 ■2 59
고한범 ■2 32
고혜빈 ■1 385
고혜정 ■2 347
고희동 ■2 236
고희탁 ■1 244, 245
고희탁(연세대) ■1 390 ■2 246
공로명 ■1 58, 93, 98, 139, 152, 205, 206, 207, 208, 212, 223, 299, 304 307, 308, 331, 332, 347 ■2 112, 116, 117, 118, 119, 121, 148, 164, 234, 242, 470
공민석 ■2 327
공병호 ■1 422
공석기 ■2 172
공영운 ■1 212
공유식 ■1 181
공진성 ■2 337
곽규택 ■1 123, 125
곽덕환 ■2 293
곽도원 ■2 88
곽동곤 ■1 416
곽민석 ■1 350
곽병익 ■1 357
곽상도 ■1 27, 28
곽양춘 ■1 322
곽용수 ■1 159
곽유지 ■2 75
곽은심 ■1 408, 422, 450, 451 ■2 27, 227, 275
곽은주 ■2 342
곽인신 ■1 348, 351 ■2 330
곽재석 ■1 461
곽진오 ■1 241, 395, 410, 412, 414, 418, 421, 422, 428 ■2 104, 250, 251, 259, 261, 279, 470
곽태환 ■1 155
곽형덕 ■1 411, 418, 421, 431, 440, 441 ■2 33, 68, 69, 70, 71, 113, 117, 146, 260
구갑우 ■1 150 ■2 60, 327
구기연 ■2 172

구난희 1 424
구만섭 1 258
구민교 2 353, 362
구범모 1 53
구본관 2 136
구본학 1 98, 101, 223 2 91, 92, 340
구양모 1 393
구양옥 1 273
구유진 2 153
구인회 2 172
구자광 1 119
구자균 1 84
구자근 1 28
구자령 1 381
구자열 1 84, 323, 324, 328
구자웅 1 273
구정호 2 42, 106, 226, 227, 228, 386
구정회 1 338, 344, 355
구중서 1 91
구지현 1 119
구 철 1 60
구태훈 2 84, 195, 196, 197, 198
구혜란 2 172
국수호 1 104, 105, 108
국중호 2 159
권경미 2 215
권경석 2 59
권경애 2 44, 231, 232
권근령 1 412 2 259
권기수 2 38
권도영 2 244
권동우 1 438
권명호 1 28
권미현 1 433
권민혁 2 332
권보드래 2 201
권보람 1 158
권석영 2 196
권선홍 1 455
권 성 2 227
권성동 1 27, 28
권성우 2 112
권성주 1 354 2 470
권성찬 1 357
권소영 1 210
권숙인 1 95 2 134, 138, 139, 141, 142, 144, 145, 149, 157, 162, 163, 165, 184, 185, 354, 367
권순미 1 393, 394, 396, 400, 401, 403
권승림 2 38
권연수 2 37
권연이(서울시립대) 1 135, 403
권연이(쓰쿠바대) 1 137
권연이(이화여대) 1 398
권연이(한림대) 2 243, 260
권영경 2 58
권영민 1 205
권영설 1 205
권영성 1 421 2 43, 343
권영진 1 110
권영하 2 126
권오성(한양대) 1 91
권오성 1 192
권오엽 1 451, 452 2 219, 276

권오영 2 170, 172
권오정 1 278
권용대(재외동포재단) 1 278
권용대(세토포럼) 1 321, 324
권용석 1 177, 178
권용재 1 385
권욱민 1 19 2 19
권은희 1 349
권익현 1 44
권익호 2 42, 228
권인욱 2 357
권인한 2 130, 203
권 일(한일협회) 1 88
권 일(민단단장) 1 278
권재범 2 337
권정선 2 112
권정웅 1 98
권지웅 1 374
권진호 1 206
권철현 1 45, 152, 206, 347 2 471
권칠승 1 28
권태신 1 78
권태억 1 244
권태억(서울대) 2 181
권태환 1 133, 147, 192, 193, 221, 268, 269, 324, 328, 337, 385 2 313, 471
권태효 2 105, 106
권택광 2 296
권해주 1 446 2 28
권해호 1 123, 124
권헌익 2 150
권혁기 2 38
권혁성 2 38
권혁욱 2 136, 159
권혁인 1 382
권혁주 2 172
권혁진 2 289
권혁태(성공회대) 2 36, 188, 189, 190, 191, 192
권혁태 2 164
권혁희 2 111
권혜경 1 74
권혜수 1 385
권희국 1 432
권희로 1 418
권희주(건국대) 2 54, 55
권희주 2 116
금성근 1 357
금성철 1 284
금영진 2 44, 106, 230
금종애 1 352, 451 2 43, 349
금희연 2 58
기광서 2 299
기동민 1 28
기민형 1 381
기유정 2 87, 146, 167, 168, 355
길미현 1 411, 446, 448, 450
길승흠 1 405
길영숙 1 412
길윤형 1 131, 134, 136, 250 2 64, 158, 471
길정본 1 57, 59
길정아 2 328
길정우 1 153, 207

김가람 2 358
김각빈 1 119
김갑식 2 288
김갑용 1 460
김강일 1 246
김건기 1 261
김건민 2 330
김건형 2 206
김경곤 2 289
김경근 1 460
김경남(경북대) 1 258, 259, 260, 428, 432, 266
김경남(강원연구원) 1 272, 273
김경남(단국대) 2 107, 109
김경년 1 286
김경덕(한국국가전략연구원) 1 220 2 311
김경덕(제주관광대) 1 443
김경동 2 58
김경래 1 89
김경록 1 428
김경리 1 438 2 54, 55, 56, 57, 269
김경묵 1 271, 272, 273 2 258
김경미 1 411
김경민(서울대) 1 195 2 366
김경수(성균관대) 1 208
김경민(대구한의대) 1 447
김경수 2 231
김경숙 2 296
김경옥(한림대) 1 406, 2 243, 267
김경옥(목포대) 1 428
김경옥(숙명여대) 2 207
김경옥(한국외대) 2 231
김경완 2 31
김경우 2 147
김경웅 1 385
김경일 2 121
김경조((주)메가마트) 1 324
김경조(부산벤처기업협회) 1 338
김경주 1 162
김경채 1 411
김경태(고려대) 1 242
김경태(전남대) 1 427, 428
김경태(영화학자) 2 151, 207
김경한 1 320, 324
김경현 2 55
김경협 1 28
김경호(도쿄대) 1 101
김경호(한남대) 1 450
김경호(경주대) 2 130
김경호 2 202, 203
김경호(메지로대) 2 248
김경화 2 231
김경희(부산일보) 1 345
김경희(시즈오카현립대) 1 416
김경희(한국외대) 2 106, 108, 109, 205, 230, 247
김계원 2 145, 354
김계자(한신대) 1 411, 448 2 50, 51, 276, 323, 341
김계자(고려대) 1 418 2 54, 56, 100
김계자 2 116
김관수 2 67
김관옥 2 74
김관용 1 110

김관욱 2 366
김관원 1 240, 243 2 320
김광규 1 98
김광근 1 148
김광남(코리아NGO센터) 1 278
김광남(이바라기대) 1 433
김광두 1 328, 331
김광림 1 32, 34, 35, 36, 37, 38, 39, 45, 47, 57, 58, 59, 60
김광민 1 137
김광성 2 228
김광수 2 38
김광억 2 180, 185
김광언 1 92, 98
김광열(광운대) 1 244, 250, 259, 260, 391, 431, 432 2 30, 264, 471
김광열(청구역사연구회) 1 433
김광옥 1 432
김광재 1 134
김광현 1 94
김광호 2 388
김광환 2 380
김광희 1 283
김교홍 1 28
김권정 1 455 2 280
김귀분 2 206
김귀옥 1 460
김규동 2 175
김규륜 1 153
김규식 1 285
김규일 1 233
김규태 1 385
김규판(대외경제정책연구원) 1 132
김규판 1 212
김근식 1 237 2 60, 328
김근태(조선시대통신사현창회) 1 120
김근태(국회의원) 2 213
김근희 1 434
김금란 1 261
김금선 2 274
김금영 1 390
김금향 2 56
김기동 1 261
김기문 1 84
김기민 1 95
김기병 1 53
김기석 1 134, 390, 391, 394, 396, 399, 400, 405 2 101, 102, 257, 258, 285, 288, 299, 341, 342, 471
김기정(연세대) 1 38, 129, 135, 149, 150, 162, 178, 210, 270, 304, 305, 307, 319 2 211, 472
김기정(국민일보) 1 208
김기주 1 158
김기현 1 27, 28, 110
김기환 1 152
김길동 1 168
김나영 1 436
김나은 1 385
김나현 1 350
김낙년 2 143, 214
김낙중 2 167
김낙필 1 350
김난영 1 433

김난희 2 42, 386, 392
김남국 1 28
김남기 1 233
김남길 2 247
김남석 2 338
김남순(한일여성친선협회) 1 75
김남순(부산대) 1 123, 125
김남은 1 398, 403, 406 2 146, 248, 258, 472
김남조 1 88
김노을 2 374
김다원 2 183
김다해 1 349
김다흰 2 226
김달수 1 415
김달중 1 152 2 211
김대성 2 41
김대식 1 123, 357 2 32
김대영(고려대) 1 382
김대영(관정이종환교육재단) 2 158
김대영(한국국가전략연구원) 2 310, 311
김대중(대통령) 1 29, 33, 82, 84, 103, 105, 109, 134, 146, 181, 191, 201, 311, 312, 313, 315, 332, 397, 402, 410 2 95, 414, 422, 423, 434, 447, 449, 458, 483, 486, 521, 525
김대중(조선일보) 1 99
김대홍 1 96, 134, 136 2 472
김덕길 1 147
김덕령 1 426
김덕수 1 282
김덕주 1 206 2 91, 92
김도승 2 177
김도연 1 381
김도우 2 295
김도윤 1 415
김도은 1 447, 449, 451
김도형(동북아역사재단) 1 38, 248, 249, 250, 251, 313
김도형(독립기념관) 1 260, 266, 432
김도형(동서대) 1 391
김도형(한림대) 1 395, 397
김도형(성균관대) 1 435, 437, 440 2 145, 246
김도형(세종대) 1 441 2 37
김도형(계명대) 2 331, 472
김도형 2 225
김도훈(경희대) 1 208
김도훈(한일산업기술협력재단) 1 395
김도희 2 352
김동구 1 98
김동규(한국외대) 2 44, 231
김동규(한양대) 2 252
김동률 1 123, 125
김동명(국민대) 1 400, 423, 424, 427, 428, 432 2 266, 473
김동명(쇼와여자대) 2 390
김동성 1 155
김동수(한국국방연구원) 1 160
김동수(부경대) 1 457
김동식 2 56
김동연 2 208
김동열 1 329
김동엽(제주대) 1 273

김동엽(경남대) 2 60, 63
김동엽(부산외국어대) 2 350
김동완 2 40
김동윤 2 69, 70, 71, 347, 386
김동전 2 180, 181
김동주 2 367
김동철(국회의원) 1 36
김동철(부산대) 1 428
김동철 2 195
김동현(경희대) 1 411, 416 2 69, 70, 71, 260, 346
김동현(제주대) 1 418
김동현(중앙대) 2 280, 372
김동호 1 133, 137, 337
김동환 1 329 2 135, 137, 143
김동훈 2 71
김두승 1 142, 158, 159, 160, 161, 174 2 142, 473
김두영 2 102
김득갑(삼성경제연구소) 2 211
김득갑(연세대) 2 330
김득환 1 134
김리혜 2 115
김 린 1 90
김린아 1 419
김만석 2 189
김매자 1 74
김명섭(강남대) 1 432
김명섭(연세대) 2 285, 328
김명성 1 19, 232, 233 2 19
김명수(간세이카구인대) 1 277
김명수(계명대) 2 29, 73, 74, 143, 387
김명옥 1 433
김명주 2 28
김명준 2 114
김명진 1 159
김명홍 2 114
김명환 1 433
김명희 2 263
김무남 1 123
김문경 2 129
김문국 1 98
김문길 1 258
김문식 2 108
김문자 1 95, 427, 429 2 265, 266
김문환 1 92
김문희 1 451
김미경(히로시마시립대) 1 198
김미경(인제대) 2 41
김미경(조선대) 2 338
김미란(한국교육개발원) 2 161
김미란(성공회대) 2 189, 192
김미순 1 273
김미애 1 28
김미영 2 332, 343
김미옥 2 107, 385
김미정(국립외교원) 1 19, 136, 137, 348 2 19
김미정(동국대) 1 414, 419
김미정(동아대) 1 348
김미정(한국외대) 2 343
김미진 2 106
김미현(이화여대) 1 352
김미현 2 195

김미혜 2 357
김 민 2 135, 138, 141, 166
김민경 1 137
김민구 1 352
김민규(동북아역사재단) 1 96
김민규(동아대) 1 352
김민배 1 99
김민석(중앙일보) 1 237
김민석(국회의원) 1 27, 28 2 64
김민섭 2 217
김민성 2 93, 340
김민수 2 357
김민애 1 414, 419
김민영 1 255, 256, 257, 259, 260, 431, 432 2 264
김민정(동아대) 1 348
김민정(서울대) 2 181
김민정(강원대) 2 374, 375
김민철(변호사) 1 38
김민철(민족문제연구소) 1 249
김민환 2 164
김민환(한신대) 2 192
김방신 1 205
김방희 1 205
김백영(광운대) 2 145, 162
김백영 2 218
김범성 2 159, 268
김범수(건국대) 1 137
김범수(서울대 자유전공학부) 1 279, 399 2 165, 363
김범수(강원발전연구원) 1 399
김범수(서울대 일본연구소 연구지원) 2 139
김범수(서울대 정치학과) 2 162
김범수(연세대) 2 289
김범수(한국일보) 2 473
김범일 1 110
김병국 1 98, 139, 171, 181
김병근 1 338
김병두 2 59
김병렬(동북아역사재단) 2 319
김병렬(국방대) 2 320
김병숙 2 231
김병연 1 173, 220, 234, 237 2 179
김병용 1 159
김병욱 1 28
김병익 1 91, 92, 99
김병일 1 285
김병조 1 194
김병준 2 357
김병직 2 289
김병진(이화여대) 1 431, 441, 442 2 202, 269, 346
김병진(숙명여대) 1 432
김병진(청암대) 1 440
김병헌 2 227
김병호 1 460
김보경(방송대) 1 409, 421 2 44, 262
김보경(고려대) 2 146, 147, 354
김보국 2 203
김보람 1 178
김보미(동아시아연구원) 1 180
김보미(경향신문) 1 285
김보미(국가안보전략연구원) 2 296
김보민 2 329

김보애 ❶ 415 ❷ 261
김보은 ❷ 28
김보한 ❶ 425, 427, 428, 437 ❷ 107, 333, 343
김보현(한양대) ❶ 409
김보현(고려대) ❶ 413 ❷ 80, 81
김복동 ❷ 188
김복수 ❷ 311
김복순 ❷ 375
김봉곤 ❶ 119
김봉균 ❶ 89
김봉길 ❷ 66
김봉룡 ❷ 320
김봉섭 ❶ 19, 277, 461 ❷ 19
김봉시 ❶ 261
김봉식 ❶ 433
김봉재 ❶ 88
김봉정 ❷ 31
김봉주 ❷ 289
김봉준 ❷ 317
김봉진 ❷ 167, 168
김봉학 ❶ 88
김봉현 ❶ 197, 200
김부겸 ❶ 305, 307
김부자 ❶ 247 ❷ 101, 170
김분숙 ❷ 33
김비환 ❷ 203
김사엽 ❷ 117
김빈나 ❷ 232
김사인 ❷ 111
김삼수(서울산업대) ❷ 134
김삼수 ❷ 163
김삼수(서울대) ❷ 356
김삼숙 ❷ 226
김삼순 ❷ 323
김상규(고교교장) ❶ 119, 120
김상규(한양대) ❶ 199
김상규(부경대) ❷ 34
김상규 ❷ 214
김상근 ❷ 167
김상만 ❷ 91
김상문 ❶ 88
김상민 ❷ 316
김상배 ❷ 173, 175, 176, 361
김상범 ❷ 292, 327
김상보 ❶ 95
김상영 ❶ 88
김상욱 ❷ 67
김상준 ❶ 131, 135, 246, 352, 397, 401, 405 ❷ 210, 473
김상진 ❶ 285
김상하 ❶ 85
김상협 ❶ 207, 208
김상호 ❶ 261
김새미 ❷ 330
김서웅 ❶ 99
김서현 ❷ 359
김 석 ❶ 223
김석규(매일경제신문) ❶ 284
김석규(외교부) ❶ 93, 139
김석균 ❷ 362
김석근 ❶ 168, 170 ❷ 246, 248
김석기 ❶ 19, 27, 28, 35, 36, 37, 38, 39, 45, 57, 58, 59, 60, 307, 324 ❷ 19,

420, 474
김석범 1 414, 415 2 112, 114, 116, 263, 346
김석수 2 389
김석연 1 392
김석우(21세기 국가발전연구원) 1 137, 2 474
김석우(한국국제정치학회) 2 278
김석진 1 174
김석현 1 456
김석환(중앙일보) 1 205
김석환(한국외대) 1 208 2 60
김석희 2 67
김선교 1 28
김선국 2 59
김선민(성북청년회) 1 374
김선민(숙명여대) 1 438 2 38, 84
김선숙 1 98
김선영(삼성언론재단) 1 19, 2 19
김선영(청주대) 2 43
김선일 1 137
김선주 1 418
김선표 1 149, 270
김선혜 2 215
김선호(부산외대) 1 94
김선호(국방부 군사편찬연구소) 2 317
김선화(목포대) 2 33, 219
김선화(수원지법) 2 170
김선희(건국대) 1 397, 438, 441 2 57, 76, 268, 269
김선희(수원대) 2 38
김선희(창원대) 2 43
김선희(시마네현립대) 2 56
김선희(인천대) 2 76, 218, 269
김선희(고려대) 2 246
김성걸 1 159, 160 2 213, 311
김성경(북한대학원대) 1 444 2 60
김성경(유한대) 2 62
김성곤(한일협회) 1 88
김성곤(사단법인 평화) 1 328
김성규 2 172
김성기 2 203
김성대 1 385
김성민(홋카이도대) 2 152, 159
김성민 2 165
김성민(건국대) 2 214
김성복 2 111
김성봉 2 42
김성원 1 27, 28
김성은 2 41
김성인 2 366
김성조 1 131, 137, 180, 272, 273, 397, 402, 403, 406 2 101, 104, 146, 147, 257, 258, 327, 341, 363, 373, 474
김성주 1 456
김성진 2 155
김성진(덕성여대) 2 299
김성철(세종연구소) 1 145, 401 2 284
김성철(국립외교원) 1 151
김성철(인제대) 2 181
김성한 1 98, 178, 198, 202, 210, 235, 236, 237 2 87, 91, 93, 142, 315, 339, 340
김성환(외교부장관) 1 202, 210, 212
김성환(경기도박물관) 2 67

김성환(군산대) 2 105
김성희(전북대) 1 447
김성희(성공회대) 2 187
김세건 2 181
김세렴 1 120
김세리 1 415
김세연 1 35, 37, 38, 57, 58, 60, 178, 305, 307, 328
김세영 1 181
김세종 2 107, 109, 344
김세준 2 207
김세진 2 168
김세환 1 284
김세훈 1 79
김소라 1 132, 250 2 169
김소연(한겨레신문) 2 221
김소연(한국문화관광연구원) 2 374
김소영 2 285
김소운 2 219
김소현 1 351
김소희 1 408, 413 2 259, 260
김수갑 1 352
김수경 1 413
김수남 1 273
김수미(고려대) 2 29, 84
김수미 2 388
김수암 1 399
김수연 1 19 2 19
김수영 2 359
김수용(서강대) 2 132
김수용 2 203
김수웅 1 19, 101, 223 2 19
김수은 1 74
김수정 1 362
김수지 1 159 2 291
김수진(부산대) 2 131
김수진(대한민국역사박물관) 2 144, 170
김수한 1 53, 60, 61 2 474
김수현 2 67
김수혜 1 178, 209 2 475
김수환 1 382
김 숙 1 219, 220
김숙현(한국국가전략연구원) 1 131, 162, 163, 164, 165, 395, 401, 405, 431 2 204, 296, 297, 341, 475
김숙현(국회의원) 1 45, 61
김숙현(변호사) 1 99
김순덕 1 99
김순례 1 37
김순전 1 352, 447 2 84, 219
김숭배 1 133, 134, 135, 394, 395, 399, 403, 404, 405, 409, 414, 451, 457 2 43, 101, 146, 248, 249, 355, 475
김슬옹 1 119
김승력 1 460
김승룡 2 131
김승민 2 74
김승수 1 27, 28
김승연 1 84
김승영 2 62
김승은 1 249
김승현 1 362
김시덕(강원도 삼일중고 교장) 1 273
김시덕(국립민속박물관) 2 184

김시덕(고려대) 2 246
김시종 2 79, 112, 113, 117
김아름 1 210
김아정 1 19 2 19, 125
김암산 1 158
김애경 2 174
김양선 2 39
김양수 2 117
김양주 2 34, 180, 181
김양태(한국외대) 1 395 2 134
김양태(성공회대) 2 135, 143
김양태 2 163
김양희(국립외교원) 1 131, 132, 136, 206 2 147, 150, 353
김양희(대구대) 2 143
김 억 2 234
김여진 1 408
김 연 2 111
김연성 1 357
김연수 1 386
김연숙 2 375
김연식 1 443 2 272
김연옥 1 437 2 261, 267, 347, 390
김연철 1 155
김열수 1 220 2 314
김 영 2 134, 135, 136, 144
김영건 1 123, 124
김영곤 2 289
김영관 1 89
김영국 1 261
김영근 1 137, 151, 272, 273, 392, 394, 395, 396, 397, 398, 399, 400, 401, 403, 409, 410, 414, 422 2 76, 84, 90, 204, 205, 249, 250, 251, 338, 394, 475
김영대 1 324
김영덕 1 317, 390 2 476
김영란 2 375
김영록 2 265
김영명 1 92
김영무 1 131, 132
김영미 1 426, 427 2 102~103, 104, 266
김영민(동덕여대) 1 412, 420 2 32
김영민 1 422
김영민(서울대) 2 145
김영민(연세대) 2 344
김영배 1 28
김영삼 1 82, 84, 294, 300 2 99, 414
김영석 2 74
김영선 1 53
김영소 1 251
김영수(서강대) 1 98, 102
김영수(동북아역사재단) 1 240, 241 2 320
김영수(계명대) 2 73
김영수(국민대) 2 103
김영수(영남대) 2 104
김영수 2 196
김영수(산업연구원) 2 208
김영수(한국국방연구원) 2 283
김영숙(동북아역사재단) 1 240 2 341, 342
김영숙(아주대) 2 87
김영숙(고려대) 2 145
김영순(인하대) 1 352
김영순(건양대) 1 433, 446, 447, 452

김영술 2 281
김영식(강릉원주대) 1 399
김영식(국회의원) 1 28
김영아 1 421, 422 2 40, 227
김영옥 2 207
김영완(한일의원연맹) 1 35
김영완(외교부) 1 134
김영의 1 63
김영이 1 421
김영자 1 74
김영작 1 170, 206, 391, 405 2 102, 103, 476
김영재 2 288
김영주(국회위원) 1 27, 28, 36, 37, 39, 49
김영주(경희대) 2 69
김영주(한국외대) 2 230, 231
김영준 1 456
김영진(국회의원) 1 27, 28
김영진(국민대) 1 457 2 279
김영진 2 203
김영찬(계명대) 2 74
김영찬(동의대) 2 128
김영철(한일협회) 1 88
김영철(한양대) 2 246
김영춘(통일연구원) 1 153, 154
김영춘(국회의원) 1 305, 307
김영호(국방대) 1 129, 133, 145, 147, 219, 270, 2 294
김영호(한국외대) 2 108
김영호(도호쿠가쿠인대) 2 109
김영호(성신여대) 2 205
김영호(국회의원) 2 213
김영환 1 178
김영훈 1 173, 404
김영희(중앙일보) 1 94, 99, 336, 347
김영희(일제강점기피해희생자전국유족연합회) 1 261
김예경 1 457
김예림 2 188
김옥균 1 96 2 219
김옥영 2 130
김옥임 2 37, 394
김옥주 1 446
김옥지 2 271
김완순 1 93
김완중 1 133
김왕구 2 311
김왕식 2 148
김용각 2 34
김용구(한국일보) 1 285
김용구(서울대) 2 176
김용권(동반성장위원회) 1 461
김용권(서울대) 2 165
김용균(이화여대) 2 174
김용균(중앙대) 2 273
김용기 2 209
김용길 1 37
김용덕 1 92, 93, 94, 96, 98, 251, 253, 259, 260 2 133, 148, 165, 182, 219, 221, 476
김용도 2 135, 143
김용련 2 229
김용민(건국대) 1 130, 137, 199, 394, 398, 404, 457 2 476

김용민(경희대) 1 391
김용민(동서대) 1 391
김용민(부산교육대) 2 346
김용복 1 398, 400 2 60, 62, 477
김용봉 1 253, 257, 258, 259, 260, 263, 264
김용삼 2 214
김용서 1 92 2 64
김용선 1 98
김용열 2 363
김용완 1 76, 77, 88
김용운 1 90, 91, 107 2 64, 101
김용의(전남대) 1 347, 352 2 41, 219, 220, 225, 344, 386,
김용의 2 390
김용제 2 219
김용주 1 88
김용직 2 205, 372
김용진 2 208
김용철 1 441 2 54, 84, 139, 143, 269
김용태(한일협회) 1 88
김용태(성균관대) 2 203
김용필 1 461 2 191
김용현 2 299
김용호 2 92
김용환 1 95
김우림 1 258
김우상 2 58, 211
김우성 1 273
김우영 2 56
김우작 2 117
김우진 2 185
김우형 2 74
김 욱(고려대) 1 347 2 81, 83
김 욱(한림대) 1 409, 410
김욱동 2 234
김울림 1 96
김웅기 1 133, 404, 409, 414, 416, 431, 432, 433, 460 2 112, 141, 243, 259, 264, 282, 347, 392, 477
김웅희 1 151, 400, 401, 403 2 173, 257, 341, 477
김원기(무역협회) 1 82
김원기(성신여대) 2 37
김원우 2 116
김원일 1 99
김원중 1 245
김원진 1 137, 324 2 477
김원태 1 120
김원호 2 40
김원희 1 137
김월희 2 179
김유경 2 360
김유나 1 178
김유리(서울대) 1 350
김유리(전북대) 2 317
김유미 2 250
김유비 2 226
김유영 2 32, 54
김유은 2 246
김유천 2 35, 108
김유택 1 88
김유훈 2 166
김 윤 1 57, 77, 78, 79, 80, 81, 84, 85,

227, 324, 329 2 478
김윤규 2 117
김윤기 2 55
김윤미 1 432
김윤수 2 219
김윤식 2 219
김윤영 2 275
김윤옥 2 169
김윤정 2 207
김윤진 1 346
김윤철 2 30
김윤태(동덕여대) 1 461
김윤태(고려대) 2 358
김윤환(국회의원) 1 29, 44, 45, 61
김윤환(한국해양대) 1 446
김윤희(중앙대) 2 225
김윤희(백석예술대) 2 386
김은미 1 205
김은비 1 382
김은숙 1 424, 428, 438
김은아 1 381
김은애 2 69, 72
김은영(부산일보) 1 357
김은영(부산외대) 2 35
김은정 1 424 2 101, 268
김은혜(서울대) 2 134, 136, 138, 139, 144, 152, 166, 353
김은혜(히토쓰바시대) 2 141
김은혜(부산대) 2 147, 166
김을리 1 347
김의영 1 408, 422, 451 2 45
김이교 1 119
김이홍 1 261
김익기 2 171
김익한 2 162
김익현 2 289
김인겸 1 120
김인규 1 63
김인기(동국대) 1 119
김인기(조선시대통신사현창회) 1 120
김인덕 1 96, 320, 431, 432, 440, 460 2 113, 115, 152, 263
김인득 1 88
김인성(고려대) 2 187
김인성 1 261
김인수(서울대) 2 56, 57, 134, 139, 166, 356
김인수(건국대) 2 144
김인아 2 107, 343
김인우 2 114
김인춘 2 211
김인태 1 165 2 296
김인한 2 315
김인현 2 42
김인혜 2 231
김인호 1 244
김인호(동의대) 2 107
김인회 1 324
김일균 1 123
김일기 2 294, 296
김일림 2 56
김일림(한국예종) 2 151, 217
김일성 2 113, 320, 327, 329
김일주 1 57, 58, 59, 60

김일철 2 128
김임숙 2 34, 130, 131
김자영 1 173, 404
김장현 1 132, 135
김재관 2 280, 338
김재근 1 261
김재기(재외한인학회) 1 460
김재기(전남대) 2 288
김재련 2 478
김재봉 1 352
김재석 2 185, 366
김재순 1 44, 61, 99
김재신 1 129, 131, 132, 134, 135, 136, 137, 313 2 478
김재엽 2 298, 311
김재영 2 171
김재옥 1 324
김재용 2 69, 70, 71
김재욱 1 98
김재원 1 47
김재천(서강대) 1 237 2 363
김재천(일제강제동원생환자유족회) 1 261
김재철 1 53 2 91, 92
김재한 2 319, 320
김재형 2 168
김재호(한일친선협회) 1 61
김재호(안동대) 2 111
김재홍(동아일보) 2 63
김재홍(국민대) 2 317
김재화 1 278
김 정 1 395 2 60, 61, 62, 328
김정구 2 33
김정기(한국외대) 1 91
김정규(동남은행) 1 123
김정기(대전대) 1 221
김정기(창원대) 1 357
김정규(계명대) 2 73, 74
김정기(한양대) 2 293~294
김정기(국가안보전략 편집위원) 2 311
김정남 2 107, 109
김정렬 1 53
김정령 1 73, 74
김정례 1 96 2 41, 221
김정록 1 137
김정명 2 147
김정미(재일사학자) 1 433
김정미(세명대) 2 37
김정민 1 450 2 276
김정부 1 261
김정선(연합뉴스) 1 284
김정선(한양대) 2 244, 252
김정섭 1 146, 150, 456 2 283
김정수(재외동포재단) 1 277
김정수((주)케이씨앤에이) 1 324
김정숙(동방꽃꽂이) 1 123
김정숙(고려대) 2 106
김정식 1 207, 208
김정아 2 324
김정애 1 447
김정은(북한 국무위원장) 1 147, 189, 190, 232, 234, 236, 333 2 62, 63, 283, 286, 292, 312, 323, 329, 360
김정은(국립중앙도서관) 1 250
김정인(춘천교대) 1 250, 259 2 53

김정인 2 214
김정일 1 140 2 119, 320, 327
김정임 1 261
김정재 1 27, 28
김정태 1 284
김정하 2 111
김정한 1 264
김정헌 2 271
김정현 1 242, 243, 247, 248
김정혜 1 288, 433
김정화 2 195
김정훈 1 258
김정희(동서대) 1 19 2 19
김정희(가천대) 1 411 2 50, 51
김정희(경기대) 1 414~415 2 27, 50, 109, 323
김정희(한국외대) 2 106
김정희 2 108
김정희(단국대) 2 389
김종건 1 258, 259
김종걸 2 250, 352
김종근 1 173, 240, 404
김종대(한일협회) 1 89
김종대(중앙대) 1 352 2 105
김종덕 2 232
김종렬 1 338
김종민 1 28
김종섭 2 179
김종수(1923시민연대) 1 250
김종수(경희대) 2 67
김종수(동국대) 2 292
김종식 1 423, 428 2 145, 208, 209, 246, 268
김종완 2 227
김종욱 2 230
김종원 1 124
김종천 1 357
김종철 2 172
김종탁 1 159, 2 291
김종태 1 460 2 114
김종필 1 26, 44, 61 2 95
김종학 1 424
김종한 1 124
김종헌 2 190
김종호 2 167
김종훈(규슈대) 1 446, 451
김종훈(우송대) 1 448
김주영 1 27, 28
김주용 1 437 2 281
김주희(경희대) 2 174
김주희(연세대) 2 279
김 준(경방) 1 178, 205, 212, 305, 307, 324, 329
김 준(SK이노베이션) 1 329
김 준(연세대) 1 349
김 준(중국 절강공상대) 2 105
김 준(서울대) 2 172
김준기 2 179
김준석 1 455, 457
김준섭 1 133, 134, 170, 192, 193, 194, 402 2 249, 250, 298, 478
김준식 1 256
김준양 2 151
김준엽 2 67

김준하 1 283
김준형 1 131, 139, 149, 307 2 178
김중순 2 211
김지경 1 374
김지미(경남대) 1 445
김지미 2 331
김지민 1 250
김지범 2 203
김지선 1 412, 422, 451
김지연(이화여대) 1 396
김지연(한국외대 초빙연구위원) 2 232
김지영(한양대) 1 135, 409, 422 2 46, 115, 247, 250, 252, 394
김지영(도쿄대) 1 392 2 140, 153, 154
김지영(서울대) 1 411, 421, 441 2 69, 71, 146, 262, 269, 356
김지영(한국학중앙연구원) 2 185
김지예 1 456
김지욱 1 258, 259
김지원 1 408 2 260
김지윤(아산정책연구원) 1 167
김지윤(성공회대) 2 192
김지은(한겨레신문) 1 327
김지은(계명대) 2 74
김지이 2 361
김지하 2 89
김지혜 2 152
김지환(인천대) 2 56
김지환 2 89
김지훈(성균관대) 2 53
김지훈(인하대) 2 338
김지희 2 366
김진교 1 124
김진국 1 205
김진규(서울대) 1 440
김진규(홍익대) 2 206
김진기 1 352, 357, 398, 456 2 89, 298, 349, 479
김진배 1 349
김진서 1 386
김진선 1 110
김진성 2 42
김진수 1 338
김진아(시도지사협의회) 1 19, 312 2 19
김진아(한국국방연구원) 1 158
김진영(글로벌녹색성장기구) 1 208
김진영(부산대) 2 58
김진영(고려대) 2 227
김진우 1 285
김진웅 1 432
김진표 1 27, 28, 35, 36, 44 48, 329 2 479
김진하(계명대) 2 74
김진하(통일연구원) 2 283
김진학 1 158
김진해 1 147
김진호 2 313
김진환 2 187
김찬호 1 374
김찬훈 2 166
김찬희 1 443
김창규 2 289
김창균 1 237
김창기 1 237

김창남 1 449, 451
김창록 1 130, 145, 259, 433 2 170, 214, 479
김창민(목포대) 2 181
김창민(전주대) 2 183
김창범 1 131
김창수(한국국가전략연구원) 1 137, 158, 178, 220, 311
김창수(인천대 일본문화연구소 기획도서 참여) 2 218
김창식 1 212
김창진 1 347, 350
김창혁 1 99
김창호 2 108
김천식 1 220, 235, 237
김천주 1 84
김천해 1 278
김 철 1 94
김철규 2 358
김철수 1 433
김철웅 1 137
김철의 2 114
김철호 1 88
김청중 1 249
김춘미 2 76, 84
김춘식 2 231
김춘환 1 322, 323, 324 2 480
김춘희 2 185
김충식 1 150, 270, 284, 316 2 480
김충영 2 29, 84
김치완 1 352
김치욱 2 285, 351, 363
김태경 2 28
김태균(서울대) 1 173 2 179, 363
김태균(ESS) 1 357
김태기(호남대) 1 432
김태기(서울대) 1 460 2 136, 142, 149, 166
김태령 1 99
김태산 2 298
김태석 1 124
김태선 1 261
김태심 2 283
김태영(국방부장관) 1 178, 180, 220
김태영(한국외대) 1 411 2 51, 391
김태영(강릉원주대) 1 452 2 27
김태영 2 391
김태완 2 280
김태용 1 352
김태우(통일연구원) 1 155
김태우(사단법인 평화) 1 273
김태웅 2 165
김태윤 2 54
김태정 2 232
김태종 2 363
김태준 1 91, 93 2 116
김태중 1 163 2 311
김태지 1 137
김태진(서울대 일본연구소 객원연구원) 1 397 2 137, 145, 166
김태진(동국대) 1 421, 441 2 32, 269, 346, 357
김태진(서울대 일본연구소 연구보조원) 2 166
김태진(이화여대) 2 277
김태현(중앙대) 1 270 2 58, 76, 123, 328

김태현(고려대) ❶ 337
김태현(성신여대) ❷ 123
김태형 ❷ 158
김태호 ❶ 110
김태환(국회의원) ❶ 49, 57, 58, 59, 60, 61, 320, 324 ❷ 480
김태환(제주지사) ❶ 110
김태환(국립외교원) ❶ 135, 212 ❷ 173
김태환(연세대) ❶ 205, 206
김태환(한양대) ❷ 244
김태효 ❶ 93, 223, 235, 237 ❷ 92, 203, 315, 339
김태훈(단국대) ❶ 426, 428 ❷ 107, 109
김태훈(오사카시립대) ❷ 389
김태흠 ❶ 28
김태희(청년아카데미윕스) ❶ 386
김태희(인천대) ❷ 218, 274
김태희(중앙대) ❷ 226, 228
김택권 ❶ 88
김택현 ❷ 195, 197, 198
김판수 ❷ 337
김판준(인하대) ❶ 460
김판준(한국이주동포정책개발연구원) ❷ 281
김평강 ❷ 35
김푸름 ❶ 159 ❷ 291
김필동 ❷ 37, 108, 246, 248, 386, 394
김필호 ❷ 192
김하빈 ❶ 59
김하수 ❷ 225
김학권 ❶ 352
김학동(충남대) ❶ 433
김학동(동국대) ❷ 112, 117
김학렬 ❷ 211
김학성 ❷ 299, 328
김학순(충남대) ❶ 411, 421, 422, 448, 450 ❷ 43, 207, 332
김학순(위안부 피해자) ❷ 125
김학순(한국교통대) ❷ 227
김학순(고려대) ❷ 323
김학준 ❶ 243, 246, 251
김한권 ❶ 131, 134, 136 ❷ 92, 93, 317
김한성 ❷ 206
김한식 ❷ 262
김한욱 ❶ 205
김한정 ❶ 27, 28, 35, 36, 37, 38, 39
김한종 ❶ 244
김항경 ❶ 139
김해준 ❶ 178
김해창 ❶ 285
김헌준 ❷ 361
김혁규 ❷ 59
김 현 ❶ 440
김현겸 ❶ 307, 320, 321, 322, 324, 357 ❷ 480
김현경(가천대) ❷ 51
김현경 ❷ 88
김현경(전북대) ❷ 350
김현구 ❶ 244
김현구(고려대) ❷ 84
김현기 ❶ 19, 177, 178 ❷ 19, 441, 481
김현명 ❶ 58, 60
김현미(전남대) ❶ 350
김현미 ❷ 180
김현석(동서대) ❶ 350, 351 ❷ 348

김현석(광주대) 2 219
김현선 2 362
김현성 2 89, 372
김현수 1 433
김현숙(동아대) 1 124, 125,
김현숙(동북아역사재단) 1 249 2 317
김현아(한림대) 1 409, 415 2 243, 391
김현아(한양대) 2 388
김현영 2 56
김현우 2 298
김현욱(국립외교원) 1 129, 134 2 87
김현욱(국민대) 1 133, 446, 447, 450 2 30, 103
김현전 1 181
김현정(배상과 교육을 위한 위안부행동) 1 250
김현정(서울대) 2 338, 375
김현주(서울대) 1 350
김현주(한밭대) 1 412, 451 2 45
김현주 2 214
김현진 1 119, 120
김현철(동북아역사재단) 1 240, 241, 242, 456
김현철(서울대) 1 132, 136, 137, 145, 271, 319, 324, 329, 352, 402, 404 2 135, 140, 141, 143, 146, 149, 150, 157, 158, 162, 164, 165, 167, 481
김현철(영국 에든버러대) 2 227
김현철(성균관대) 2 329
김현택 1 205
김현희 2 185
김형균 1 57
김형기 1 386
김형수 1 433
김형열 2 55, 128, 272
김형일 1 88
김형종 2 351, 358
김형주(산업통상자원부) 1 131
김형주(국회의원) 1 205
김형준(다인필름) 1 108
김형준(명지대) 2 120
김형준(강원대) 2 350, 373
김혜경(서울대) 1 98
김혜경(나사렛대) 2 143
김혜련 1 461 2 282
김혜숙(이화여대) 1 352
김혜숙(한양대) 2 251
김혜영 1 63
김혜원 1 447
김혜준 1 178
김 호(중국인민법원) 2 59
김호기 2 58
김호섭 1 173, 177, 178, 251, 391, 397, 405 2 481
김호익 1 446
김호준 1 285
김호홍 2 295, 296, 297
김홍걸 1 28
김홍균 1 235, 237
김홍렬 1 119
김홍수 2 328
김홍우 1 170
김화남 1 56
김화영(수원과학대) 1 411 2 225
김화영(동양미래대) 2 225
김화영(한림대) 2 243

김화자 1 277
김화진 1 263
김환기 1 410, 411, 422, 432 2 32, 71, 110, 112, 113, 116, 117, 219, 392
김황식 1 201
김회선 1 324
김효상 1 324
김효섭 2 172
김효숙 1 441 2 37, 226, 247, 342
김효순 1 412, 422 2 70, 76, 80, 83, 84, 262, 332, 333
김효은 2 286
김효진 1 96, 409 2 76, 134, 137, 141, 143, 144, 145, 147, 149, 150, 151, 156, 158, 159, 160, 163, 165, 184, 205, 207, 218, 333, 353, 354, 356, 481
김후련 2 105
김흥규(외교안보연구원) 1 205
김흥규(아주대) 1 198 2 87, 92
김흥종 2 150
김희강 2 328
김희경(서울대) 2 136, 143, 217, 367
김희경(경북대) 2 147, 354, 355
김희경(한국일보) 2 342
김희곤(국회의원) 1 28
김희곤(안동대) 1 247
김희로 1 418 2 89, 117
김희성 2 259
김희숙 1 99, 102
김희영(쓰다주쿠대) 1 381
김희영(전남대) 2 220
김희용 1 84
김희조 2 42
김희찬 2 177

나경원 1 307
나공수 1 444 2 39, 273
나석호 1 89
나성영 2 29
나승회 1 409 2 131
나영일 1 78
나웅배 1 45
나유정 2 34
나의규 1 446
나정일 2 100
나정희 1 119
나종우 1 427
나주현 1 433
나천수 1 119
나행주(대진대) 1 97
나행주(건국대) 1 423, 424, 425, 427, 437, 438 2 265, 266
나혜심 2 375
나흥유 1 436
나희량 2 357
나희승 2 60
남경태 2 162
남경필 1 206
남관표 1 35, 37, 56, 59, 150, 176, 322 2 482
남구현 1 261
남궁연 1 108
남궁철 1 418 2 71

남근우(동국대) 2 111, 117
남근우(민속학자) 2 182
남기정 1 130, 131, 132, 133, 134, 136, 137, 144, 150, 163, 174, 175, 177, 178, 208, 209, 250, 270, 271, 273, 390, 392, 393, 394, 396, 397, 398 399, 402, 404, 405, 410, 456
2 71, 102, 103, 104, 134, 135, 136, 137, 140, 141, 142, 143, 146, 147, 148, 149, 150, 151, 156, 158, 159, 160, 163, 164, 165, 167, 170, 178, 257, 259, 294, 354, 356, 482
남기학 1 94 2 45, 392
남대엽 2 74
남덕우 1 53
남덕현 2 130
남미영 2 28
남봉현 1 119, 120
남상구 1 131, 132, 241, 243, 248, 249, 250, 258, 259, 391, 398, 433
2 64, 142, 266, 317, 391, 482
남상연 2 79
남상욱 1 417, 421, 422 2 41, 69, 70, 71, 82, 134, 135, 136, 137, 143, 146, 150, 151, 166, 217, 218, 262, 356, 483
남상해 1 119
남상현 1 411 2 393
남상호 1 427
남석현 1 247
남성욱 2 88
남송우 1 291
남수현 1 381
남시욱 2 483
남유민 1 408 2 153
남은영 2 172, 337, 359
남이숙 1 448 2 30, 219
남인순 1 28
남재욱 2 380
남정호(중앙일보) 1 19, 135, 136, 209, 237
2 19
남정호(경성대) 1 98
남정호(국방과학연구소) 2 339
남종현 1 119
남창희 1 17, 130, 159, 393, 398, 402, 405
2 17, 142, 483
남태기 1 426
남태정 1 285
남해용 1 89
남현주 2 51
남호현 1 426 2 316
노경달 2 260
노경덕 2 215
노고운 2 185
노관범 1 455
노광철 1 234
노기영 1 433
노길관 1 348
노무현 1 53, 82, 84, 201, 238, 296, 333
2 251, 283, 414, 485, 502, 525
노미영 2 372
노미진 1 382
노미혜 1 99
노병호 1 170, 390, 441, 442 2 108, 229,

232, 387, 388
노상환 2 59
노석조 1 135
노선숙 2 34
노성태 1 77, 78
노성환(울산대) 2 40, 344
노성환(서울대) 2 220
노수현 2 236
노영종 1 432
노운하 1 324
노웅래 1 27, 28, 36, 37, 38, 178 2 250
노유니아 2 145, 153, 165
노유진 2 54
노윤선 1 408 2 84, 271
노윤지 2 274, 347
노은미 1 446
노재봉 2 176
노재원 1 138
노주현 1 417, 421 2 32, 248, 262
노중국 2 317
노지현 2 131
노천명 1 264
노치환 1 96
노태우 1 82, 84 2 503
노태훈 1 386
노희진 2 28

단효금 2 348
도기정 2 31
도기홍 1 447, 448, 450, 451
도시환 1 240, 241, 242, 244, 247, 248, 249, 258 2 320
도재학 2 55, 56
도종윤 1 199, 200, 401 2 380
도현미 1 408
도현아 1 448
도홍길 1 124, 125
독고순 2 314
동선희 1 433
동용승 1 130 2 92
두애린 2 185

라종일 2 483
류교열 1 433, 438, 446 2 45
류길재 2 329
류나래 2 265
류다정 2 155
류두하 2 74
류리수 2 231
류명숙 1 74
류미나 1 257, 425, 428 2 103, 104, 268, 342
류민화 2 34, 129, 130, 131
류병현 1 261
류상영 1 206, 209, 212, 392 2 103
류상윤 2 136, 353, 388
류성걸 1 27, 28
류속영 2 131
류시열 1 208
류시현 1 392
류신애 1 450
류연택 1 173, 404
류영진 1 348
류용규 2 388

류용욱 1 395
류인석 2 289
류장용 2 88
류재곤 2 36
류재한 2 220
류정선 2 108, 109
류정훈 1 411 2 227, 332
류제승 1 220, 221 2 311, 312, 313
류주한 2 380
류준필 2 145, 202
류지영 1 49
류 진 1 84
류충희 2 201
류태규 2 313
류현정 1 232
류호철 2 185
리문철 2 281

마경옥 2 30
마덕창 1 437
마르틴 현 1 282
마상윤 1 129
마실언 1 284
마이클 김 2 189
마인섭 2 58, 203
명성왕후 2 222
명세봉 2 115
명수정 1 350
모세종 2 41
모윤숙 1 88
모준영 2 338
목수현 2 145, 153, 354
목정수 2 247
무 왕(백제) 1 104
문경덕 2 185
문경수 1 133
문경연 2 280, 292, 294
문경희 1 460
문규영 1 84
문명재 2 44, 231, 232
문명호 1 99
문미순 1 119, 120
문성기 1 150
문성묵 1 178, 219, 221 2 311
문성욱 1 321, 324
문성일 1 207
문성희 2 71
문소연 2 286
문순희 1 437 2 217, 272
문승일 1 207
문연주(방송통신심의위원회) 1 133, 393
문연주(아주대) 1 390
문영기 1 137
문예찬 1 178
문옥표 1 352
문용석 1 221
문용일 2 63
문우종(서울대) 2 167
문우종(멜버른대) 2 185
문윤정 1 19 2 19
문은영 2 375
문이현 1 381
문재연(헤럴드경제) 1 324
문재연(가천대) 2 51

문재인 1 30, 84, 133, 134, 163, 179, 181, 184, 185, 186, 189, 190, 191, 236, 304, 315, 316, 319, 325, 326, 334, 336, 397, 398 2 63, 125, 294, 406, 414, 420, 421, 422, 423, 425, 443, 451, 454, 458, 485, 502, 516
문정인 1 152, 205, 206, 207, 210, 212, 307, 317, 352 2 71, 484
문제조 1 261
문준기 1 137
문준호 2 357
문지용 1 324
문진석 1 27, 28
문창극 1 99
문창윤 2 387
문창학 1 451 2 44, 231
문충식 2 380
문태영 1 197
문현일 2 41, 220
문형자 2 274
문홍주 1 88
문홍호 2 92
문희상 1 27, 29, 44, 46, 50, 51
문희진 2 248
미마지 1 104, 105
민건기 1 414, 419
민경배 2 59
민경은 1 374
민경찬 1 92, 96
민경환 1 206
민광준 2 27
민 기 2 285
민덕기 1 94, 426, 427 2 195
민병갑 1 460
민병권 1 88
민병용 1 284
민병원 2 173, 174, 361
민병찬 2 41
민병훈 1 448, 449 2 32
민수현 2 56
민슬아 1 352
민승희(동국대) 1 448 2 276
민승희(교육사령부) 2 290
민영성 1 352
민영환 2 281
민유기 1 244
민정희 1 119
민주윤 1 382
민현구 1 98
민홍철 1 27, 28

박강훈 1 412 2 42, 227, 247, 276, 386
박건석 1 88
박건섭 1 346
박건영 2 58, 63
박건우 1 348 2 330, 348
박경미 2 285
박경민 1 135, 173, 395, 398, 402, 403, 404 2 90, 135, 146, 152, 367, 484
박경석 1 260 2 69, 71
박경수(PSK(주)) 1 181
박경수(강릉원주대) 1 433, 436 2 27, 250
박경식 1 415
박경하 1 352

박경희 1 393
박광섭 2 289
박광온 1 28, 307
박광태 1 110
박광현 2 112, 141, 188
박광희 1 98, 101, 223
박교식 2 289
박규태(신세계인터내셔널) 1 386
박규태(한양대) 1 438, 440, 441, 442 2 46, 134, 137, 143, 220, 221, 246, 247, 248, 252, 269, 354, 393, 394
박균철 2 42
박 근 1 138
박근영 2 58
박근혜 1 83, 84, 141, 142, 174, 180 184, 186, 325, 396 2 120, 121, 122, 249, 283, 372, 414, 421, 458, 525
박기덕 1 152
박기범(공군사관학교) 1 137
박기범(간사이대) 1 350
박기수 2 195, 198
박기식 1 338
박기영 1 74
박기태 1 247
박기혁 2 211
박나라 2 258
박나현 2 155
박남수 1 19, 220, 221 2 19, 311
박남숙 1 84, 324
박남순 1 261
박남태 2 289
박노수 1 383 2 144
박노순 1 451
박노자 2 192
박농형 2 340
박대광 1 158
박대선 2 211
박대원 1 381
박대재 1 352
박대출 1 28
박덕흠 1 28
박동미 1 285
박동성 1 245
박동성(서울대) 2 134, 166
박동성(순천향대) 2 367
박동하 1 324
박동호 2 274
박두병 1 76, 77, 88
박래호 1 221
박려옥 1 447
박만수 2 289
박맹수 1 432, 434
박맹우 1 110
박명덕 2 141
박명림 1 313 2 150
박명수 2 279
박명진 2 228
박명흠(창원대) 1 92
박명흠(부산한일문화교류협회) 1 123, 124
박명희 1 132, 135, 137, 180, 391, 397, 400, 403, 404 2 484
박미경 2 43, 386
박미숙(서울시) 1 273
박미숙(가천대) 2 51

박미아(서강대) 1 432, 433
박미아(청암대) 2 112, 264
박미전 1 448, 450
박미정 1 411, 422
박미현 2 129, 386
박미화 1 461
박민규 1 158, 159
박민기 1 393
박민수 2 317
박민영 2 44, 231
박민형(국방대) 2 173
박민형(독립연구자) 2 312
박민희 1 313, 314
박배균 2 171
박배근 2 319
박배선 2 289
박범계 1 205
박병광 1 162, 166 2 295
박병도 1 249
박병석 1 27, 28, 36, 37, 47
박병식 1 91
박병윤 1 278
박병일 2 388
박병한 1 205
박병헌 1 276
박병훈 1 119, 120
박보라 2 295, 296, 297
박본수 2 67
박봉식 2 176
박부영 2 215
박사라 2 189
박사명 2 350
박삼헌 1 96, 352, 435, 438 2 27, 53, 54, 55, 56, 57, 136, 142, 156, 201, 218, 250, 263, 268, 270, 324, 333, 352, 355, 394, 484
박삼현 2 56
박상규(한일친선협회) 1 57, 58, 59, 60
박상규(SK네트웍스) 2 329
박상도 1 97 2 36, 204, 230, 269
박상섭 2 176
박상수 2 88, 89
박상식 1 139
박상용 1 181
박상준 2 137
박상진 1 78
박상태 2 132
박상혁 1 28
박상현(한국국방연구원) 1 148, 158, 198, 269
박상현(경희사이버대) 2 421, 452 2 276, 393
박상화 1 119
박서화 2 63
박석강 2 333
박석순 1 94
박석원 1 314, 316
박선경 2 328
박선숙 1 305, 307
박선술 2 27
박선악 1 56
박선영 1 393, 396, 414 2 30, 103, 249
박선이 1 99
박성갑 1 119, 120
박성기 1 431
박성길 2 331

박성민 1 28
박성빈 1 15, 352, 390, 392, 394, 401, 403, 406 2 15, 115, 208, 209, 258, 349, 485
박성열 2 283
박성용 1 457 2 314
박성우 2 177, 361
박성원 1 108
박성주 1 413 2 79
박성중 1 28
박성진(국가기록원) 1 433
박성진(한국학중앙연구원) 2 351
박성필 1 89
박성하 1 409, 414 2 261
박성호 2 74
박성희(가천대) 2 51
박성희(고려대) 2 227
박성희(이화여대) 2 261
박세리 1 412
박세연(추계예술대) 2 145, 354
박세연(성신여대) 2 147
박세원 1 19 2 19
박세진 2 366
박세훈(크지프) 1 378
박세훈(국토연구원) 2 54
박세훈 2 218
박소미 2 226
박소영 1 134, 209
박소진 2 366
박소현(서울과학기술대) 1 145
박소현(강릉원주대) 2 27
박소현 2 202, 203
박수길 1 139
박수영 1 27, 28
박수인 2 288, 328
박수자 1 124, 125
박수정(성결대) 2 227
박수정(오사카대) 2 275
박수진 2 149, 167, 171
박수철(서울대) 1 95, 244, 436 2 165, 166, 221, 268
박수철 2 218
박수현 1 448
박순국 1 284
박순애 1 393, 412, 433 2 251
박순영 2 182, 185
박순용(고베청소년센터) 1 274
박순용(법무부) 1 450
박승우 2 352
박승평 1 99
박승현(서울대, 계명대) 1 136 2 29, 138, 141, 151, 153, 156, 157, 158, 160, 151, 156, 388, 485
박승현(한림대) 2 138, 217
박시언 2 203
박쌍용 1 138
박 아일린 2 215
박안순 1 56
박애경 1 99
박양순 2 225
박양신(한림대) 1 433 2 346
박양신 2 117
박양신(가천대) 2 145, 324
박양우 1 250

박연수 1 351

박연정 2 51

박 열 1 278, 448

박영규 1 155

박영렬 2 211

박영배 2 272

박영수 1 124

박영숙(수원과학대) 1 421, 451, 275

박영숙(부경대) 1 433 2 34

박영순 1 74

박영애 1 99

박영준 1 17, 129, 130, 131, 134, 173, 174, 177, 178, 180, 192, 193, 194, 197, 200, 212, 329, 330, 334, 391, 392, 395, 396, 397, 398, 399, 401, 402, 403, 404, 405, 456 2 17, 89, 90, 91, 92, 93, 137, 140, 141, 142, 146, 148, 159 162, 164, 178, 279, 298, 354, 356, 485

박영춘 1 124

박영표 1 261

박영혜 1 137

박 완 1 436, 437, 438 2 145, 152, 268

박완서 2 207

박완수 1 28

박외수 1 119

박요한 2 314

박용경 1 63

박용곤 1 89

박용구 2 44, 229, 231, 232, 343, 390

박용규 1 137

박용석 2 211

박용순 1 352

박용옥 1 99

박용일 1 413, 421, 422 2 46, 252, 262, 394

박용준 1 338

박용진 1 28, 36

박용학 1 85

박 우 1 461 2 282

박운환 2 117

박원곤 1 134, 177, 178, 219 2 294, 314

박원홍 1 99

박유미 1 450 2 275

박유하 1 94, 205, 347 2 37, 84, 248, 333, 486

박윤선 1 408

박윤일 2 257

박윤정 1 74

박윤주 2 74

박윤호 2 38

박은식 1 455

박은영 1 438, 440, 441, 442 2 146, 203, 269

박은하 1 148, 269

박은희 1 409 2 51, 347

박의경 2 167

박이순 2 27

박이진(성균관대) 1 441, 442 2 202, 203, 206

박이진(서울대) 2 135, 166

박이진(오사카대) 2 154

박인구 1 84

박인국 1 177, 178, 188, 224, 225

박인동 1 354

박인순 ❶ 56
박인찬 ❷ 206, 207
박인하 ❶ 94
박인휘 ❶ 135, 136, 146 ❷ 91, 140
박 일 ❶ 100
박일우 ❷ 74
박일호 ❷ 37
박장호(국무총리실) ❷ 212
박장호(영남대) ❷ 316
박 재 ❶ 120
박재규 ❷ 58, 59, 60
박재순 ❷ 191
박재용 ❶ 424
박재우 ❷ 198
박재욱(신라대) ❶ 357
박재욱(국제문제조사연구소) ❷ 293
박재일 ❶ 434 ❷ 117
박재적(서울대) ❶ 173
박재적(한국외대) ❷ 93, 175, 311
박재하 ❶ 324
박재호 ❶ 27, 28
박재환 ❷ 27
박전열 ❶ 108 ❷ 220, 225, 226, 227, 247
박 정 ❶ 27, 28
박정근 ❶ 374
박정미 ❷ 374, 375
박정석 ❷ 181
박정섭 ❶ 182
박정순 ❶ 98
박정슬 ❶ 426
박정아 ❶ 223
박정애 ❶ 241, 242, 243, 248 ❷ 170, 317, 375
박정원 ❷ 69
박정의 ❶ 447, 452 ❷ 40
박정이 ❶ 433 ❷ 113
박정자(국회의원) ❶ 63, 71, 73
박정자(상명대) ❶ 98
박정진 ❶ 135, 136, 390, 406 ❷ 60, 134, 135, 140, 158, 159, 162, 166, 190
박정하 ❶ 119, 120
박정호(한일의원연맹) ❶ 19, 35, 36, 37, 38, 39, 46 ❷ 19, 119, 486
박정호(SKT상무) ❶ 205, 206
박정화 ❶ 99
박정훈 ❶ 305, 307 ❷ 486
박정희 ❶ 84, 128, 174 ❷ 96, 99, 102
박제광 ❶ 95
박제균 ❶ 237
박제성 ❶ 232
박종명 ❷ 27
박종승 ❷ 27
박종철 ❶ 149
박종화 ❷ 236
박종희 ❷ 177, 361
박주용 ❷ 171
박주원 ❷ 280
박주현 ❶ 351
박주홍 ❷ 74
박주희 ❷ 292
박준규 ❶ 461 ❷ 282, 366, 367
박준영 ❶ 110
박준우 ❶ 146, 151, 152, 307, 319, 323, 324 ❷ 120, 164, 486

박준혁 2 357
박준희 1 209
박중언 1 284
박중현(잠일고) 2 54
박중현(성균관대) 2 339
박지선 2 153
박지수 2 140
박지연 2 286, 288
박지영(아산정책연구원) 1 167 2 300
박지영(성균관대) 2 203
박지영(성신여대) 2 205
박지윤 1 357
박지형 2 363
박지혜 2 162
박지환(서울대) 1 392 2 134, 135, 136, 144, 147, 151, 160, 162, 163, 178, 185, 257, 356, 362, 367, 487
박지환(전북대) 2 144, 147
박 진(국회의원) 1 27, 28, 99
박 진(KDI) 1 205
박진곤 2 205
박진부 1 261
박진성 2 203
박진수(가천대) 1 411, 422 2 26, 50, 51, 324, 344
박진수(덕성여대) 2 373
박진숙 1 374
박진우 1 256, 257, 429, 431, 432, 436, 442 2 38, 134, 135, 136, 141, 142, 164, 270, 344, 390
박진웅 1 147, 268
박진원(SBS, LG) 1 19, 209, 232, 323, 324 2 19, 487
박진원(법무법인 세종) 1 181
박진한 2 41, 217, 218, 246, 267, 268, 333, 384
박진호 2 311
박차환 1 273
박찬근 1 182
박찬기 2 33, 393
박찬대 1 28
박찬봉 2 58
박찬수 2 147
박찬승 2 214
박창건 1 137, 151, 391, 393, 394, 396, 400, 401, 405, 455 2 30, 59, 101, 103, 104, 249, 257, 342, 362, 379, 487
박창권 1 159
박창기 2 224
박창희 1 146, 235 2 91, 123, 311, 314
박천환(법명 종결) 2 222
박철균 1 329 2 283
박철현 2 55
박철희 1 17, 19, 98, 129, 130, 132, 133, 151, 170, 177, 178, 179, 205, 206, 208, 209, 211, 212, 220, 234, 235, 237, 304, 305, 307, 308, 319, 320, 321, 322, 323, 324, 328, 330, 331, 332, 334, 335, 336, 337, 385, 401, 404, 405 2 17, 19, 91, 92, 93, 120, 121, 122, 124, 134, 137, 140, 148, 159, 161, 162, 164, 165, 178, 179, 293, 312, 313, 340, 355, 356,

362, 398, 487
박청정 1 124
박춘호 1 91
박충석 1 137, 170, 405
박충훈 1 88
박치완 1 352
박태경 2 286
박태규(가천대) 1 411 2 50, 51, 274, 323
박태규(연세대) 2 211
박태규(한예종) 2 324
박태균 1 249 2 150, 160, 179, 214
박태영 1 110
박태욱 1 99
박태준 1 44, 82, 85
박태호 1 78, 330, 331, 334
박평의 1 282
박한민(동북아역사재단) 1 240 2 265
박한민(동국대) 1 424
박한민(고려대) 1 425
박한용 1 249 2 214
박한진 1 98
박해남 2 147
박해순 2 171
박해환 2 38, 385
박헌호 2 202
박 현(서울시립대) 2 55
박 현(대한민국역사박물관) 2 73
박현모 1 456 2 338
박현수 2 181
박현우(한반도미래포럼) 1 386
박현우(연세대) 2 279
박현지 2 272
박현태 1 283
박형상(변호사) 1 119, 120
박형상(한국도서센터) 1 433
박형일 2 60
박혜성 2 45
박혜은 2 56
박호성(서강대) 1 98
박호성(국제평화전략연구원) 1 461
박홍규(한일친선협회) 1 57
박홍규(고려대) 1 170, 334, 440, 442
2 270
박홍영 1 198 2 104, 141, 310, 324
박화진(부경대) 1 119
박화진 2 203
박 환 1 432
박환무 1 245
박환무(한양대) 1 391
박환무(건국대) 1 437 2 87, 146
박환영 1 352 2 111, 181, 349
박효경 1 412
박효성 1 99
박후건 2 60, 64
박 훈 1 95, 394, 435, 437 2 104, 138, 145, 159, 165, 166, 171, 342, 354, 488
박훈하 1 352
박휘락 2 283, 311, 339
박흥순 2 92
박희남 1 452 2 32
박희영(한밭대) 1 412, 2 45
박희영(대진대) 1 443 2 128, 227, 273
박희제 1 19 2 19

박희태 [2] 232
반기문 [1] 201, 202
반기현(고려대) [2] 55
반기현(육사) [2] 298
반길주 [2] 292, 312, 315, 327, 330, 338, 339
반병률 [1] 256
방경희 [2] 260, 387
방광석(고려대) [1] 96, 97
방광석(동국대) [1] 435, 436, 437, 438 [2] 90
방광현 [2] 117
방극철 [1] 444 [2] 38, 248, 262, 273, 347
방문신 [1] 307, 321, 324 [2] 488
방민호 [2] 139
방병선 [1] 95
방세현 [1] 361
방윤형 [2] 38, 347
방인식 [2] 206
방자명 [1] 89
방자비(方子妃) [1] 53
배경아 [2] 231
배관문(카이스트) [1] 438, 441, 442 [2] 267
배관문(고려대) [2] 145
배규성(한국외대) [1] 455
배규성(경희대) [2] 67
배극인 [1] 148, 209
배긍찬 [1] 130, 195, 198
배기원 [1] 273
배기찬 [1] 129, 130, 134, 135, 137, 269
배기현 [1] 163 [2] 292, 293, 311, 350
배대윤 [1] 284
배동환 [1] 89
배묘정(서울대) [2] 153
배묘정(서강대) [2] 390
배석만(고려대) [1] 433
배석만(KAIST) [2] 73
배성동 [1] 405
배소연 [1] 415, 418
배수정 [1] 351
배수현 [1] 321, 345
배영동 [2] 111
배영미 [1] 433
배영애 [2] 286
배우리 [1] 119
배유진 [2] 155
배은재 [2] 340
배은정 [2] 34
배은한 [2] 108
배인교 [2] 329
배인준 [1] 99 [2] 118
배재수 [2] 337
배재식 [1] 308
배재한 [1] 357
배정열 [2] 45
배정호 [1] 154 [2] 488
배종윤 [1] 210
배준영 [1] 28
배준호 [1] 395, 398 [2] 46, 248
배진석 [2] 328
배진수 [1] 244, 247
배진숙 [1] 461 [2] 282
배진영 [1] 96, 443, 451
배태수 [1] 56, 57, 58, 59, 60
배학영 [2] 298

배항섭 2 202, 203
배해림 1 381
배해선 1 446
배현진 1 27, 28
백근욱 2 212
백동선 2 27
백두진 1 53
백명학 1 451
백민성 1 354
백민정 1 158
백봉제 2 152
백송종 2 35
백수진 2 74
백승국 1 352
백승옥 2 130
백승욱 2 358
백승조 2 289
백승택 1 305, 307
백승훈 2 311
백시진 2 317
백아롱 2 166
백영옥 1 460
백영훈 1 89
백용훈 2 350
백우열 2 278
백운용 1 94
백원담 2 192
백은주 2 342
백이연 1 412
백인수 2 166
백일순 1 172
백정란 1 99
백종오 2 317
백종천 1 149, 152, 270
백종헌 1 28
백지연 2 70
백지운 2 149, 150, 167
백진경 1 182
백충현 1 92
백태문 1 88
백학순 1 149, 150, 152, 269, 270
백혜련 1 27, 28
백혜영 1 182
변영섭 1 98
변은진 2 214
변재웅 2 74, 331
변재일 1 27, 28
변정아 2 57
변종국 1 19 2 19
변중섭 1 273
변찬복 1 357
변혜원 2 185
변화영 1 432
복지왕 1 104
봉영식 1 166, 167 2 142, 162, 488
봉준호 1 349
부 백 2 393
부성옥 1 223
부승찬 1 210
빈미정 2 105, 106

사공환 2 44
상우연 1 412
서각수 1 245

서강화 1 284
서경석 2 74
서경식 2 221
서경원 2 226, 227
서경호 1 258
사공환 2 44
서기원 1 90
서기재 2 276
서대숙 2 58
서대승 2 166, 185
서동만 2 63
서동주 1 421, 431, 432, 440, 441 2 90, 134, 135 137, 138, 144, 149, 151, 156, 158, 159, 160, 162, 163, 165, 188, 205, 346, 356, 489
서만식 2 229, 389
서민교 1 431, 436, 437 2 87, 141
서민석 1 84
서병수 1 28, 110, 114
서병철 1 155
서병현 1 283
서보경(부경대) 1 424, 426 2 266, 388, 389
서보경(한성대) 1 436, 438
서보경(연세대) 2 367
서보혁 1 456
서석숭 1 19, 57, 79, 84, 305, 307, 317, 319, 324, 329, 330, 334 2 19, 426, 489
서 승 1 249, 260 2 62, 117, 213, 214
서승민 2 149
서승원 1 131, 134, 137, 173, 198, 212, 306, 307, 314, 320, 390, 396, 398, 404, 405 2 29, 76, 84, 140, 142, 489
서아림 2 328
서연호 2 76, 84
서영교 1 28, 178
서영대 1 352
서영아 1 19, 131, 136, 137, 209, 284, 306, 307, 316 2 19, 124, 490
서영채 2 145
서영표 1 352
서옥란 2 167
서용달 1 276 2 76
서우석 1 91, 98
서운학 1 124
서원익 2 289
서유리(한국언론진흥재단) 1 19 2 19
서유리(고려대) 1 415, 419
서윤순 2 76
서은지 1 249
서은혜 2 42, 220
서의동 1 135, 136, 178, 306, 307, 312 2 490
서인범 2 114, 117
서인원 1 19, 135, 395, 396, 414, 416 2 19, 249, 320, 490
서일준 1 28
서재곤 2 44, 231, 232
서재길 2 341
서재진 1 155 2 58
서재필 2 234
서정건 2 361
서정경(서강대) 1 456

서정경(서울대) 2 168
서정민 2 330
서정숙 1 28
서정완 1 98, 272, 273, 409, 422 2 45, 111, 114, 234, 242, 243, 344, 392, 490
서정욱 1 261
서정주 1 386
서정하 1 197
서정혜 1 182
서정화 1 140
서종진(동북아역사재단) 1 240, 249, 250
서종진(한양대) 1 277
서주원 2 302
서중석 2 195
서지원 2 350
서진영 2 87
서진호 2 227
서찬동 1 285
서창록 1 198
서청원 1 27, 36, 44, 46 47
서태교 1 136
서해든 2 250
서현섭 1 383 2 491
서현주 1 240, 248
서현진 2 205
서형석 1 221
서형원 1 149, 150, 321, 324, 385 2 491
서혜란 1 250
서 호 1 150
서 홍 1 451
서 희 1 129
서희경 1 457
석대권 1 95
석동연 1 251
석재왕 2 292
석주희 1 135, 174, 175, 391, 393, 403, 404, 405, 409, 415, 456 2 146, 341, 491
석지현 1 381
선민정 1 412
선봉규 1 461 2 282
선상규 1 119
선시아 2 88
선우정 1 99, 174, 178, 307, 316, 317 2 491
선우종원 1 88
선우휘 1 283
선유정 2 323
선재원 2 90, 134, 143, 163
설근수 2 42, 224
설승훈 1 419
설 한 2 59
성경륭 2 150
성기영 2 87, 296, 297
성기홍 1 284
성낙삼 2 64
성낙인 1 98
성동기 2 282
성동원 2 339
성병욱 1 99
성상제 1 324
성완경 1 92
성원용 1 130

성윤아 1 422 2 35, 54
성일종 1 27, 28, 35, 36
성정희 2 211
성주현 1 250, 431, 432, 440
성지민 1 386
성진우 2 388
성채기 1 158
성태현 2 59
성한경 1 124
성해준 1 446 2 270
성혜경 2 36
성회용 2 492
성희엽 1 437
소명선 1 418, 448, 452 2 42, 70, 71, 128, 271, 273, 276
소병철 1 27, 28
소병훈 1 27, 28
소재두 1 434
소진철 1 91, 92
소현숙 1 250
손경식 1 57, 60, 84
손경호(국방대) 1 457
손경호 2 231
손경희 2 393
손관수 1 237
손기섭 1 151, 173, 194, 357, 390, 400, 404, 455 2 298, 492
손기영 2 87, 88, 90, 92, 388
손기웅 1 155
손대준 1 88
손덕수 1 98
손동재 2 166
손동주 1 123, 124 2 34
손명곤 2 27
손미나 1 349, 450
손민석 2 372
손병권 2 294
손병규 2 202, 203
손병수 1 206
손병환 2 380
손봉락 1 84
손상우 1 273
손석의 1 135, 136, 398 2 37, 141, 146, 147, 152, 160, 166, 351, 492
손성준 2 203
손세일 1 99
손수민 1 386
손숙자 2 35
손순옥 2 225
손승철 1 93, 94, 95, 96, 97, 98, 101, 117, 119, 120, 426, 427, 429
손애리 2 90
손 열(KBS) 1 124
손 열(연세대, 동아시아연구원) 1 131, 132, 134, 145, 173, 174, 175, 176, 177, 178, 179, 180, 181, 188, 199, 200, 307, 392, 393, 398, 401, 404, 405 2 90, 91, 150, 164, 173, 338, 351, 352, 492
손염홍 1 242
손영보 1 119, 120
손영석 2 42, 262
손영운 1 261
손윤진 2 289

손인주 [2] 359
손일석 [1] 262
손재현 [2] 32
손정미 [1] 99
손정아 [1] 446
손정우 [1] 108
손정욱 [1] 199 [2] 177
손정의 [1] 225, 227
손주성 [2] 217
손주언 [1] 408
손지애 [1] 206
손지연 [1] 411, 418, 421 [2] 28, 66, 68, 69, 70, 71, 108, 146, 217, 260, 392
손진태 [2] 182
손춘일 [1] 416
손치근 [1] 137
손학규 [1] 110
손한기 [1] 98
손해식 [1] 123, 124
손혁상 [2] 278, 360
손현진 [1] 137, 145, 148, 150, 269, 270
손형준 [1] 285
손혜경 [2] 166
손혜리 [2] 203
손호철 [1] 98
송경주 [2] 28
송교욱 [1] 339
송규진 [2] 87, 89, 338
송근호 [2] 289
송기창 [2] 207
송기호 [1] 329
송기희 [1] 284
송대성 [1] 152
송도영 [2] 252
송두빈 [1] 283
송두호 [1] 61
송만익 [1] 452
송미지 [2] 226
송민기 [1] 374
송민호 [2] 54, 55, 56, 116
송병권(연세대) [2] 71, 89, 90
송병권(고려대) [2] 87
송병주 [2] 59
송부영 [1] 19, 88 [2] 19
송부용 [2] 59
송석원 [1] 133, 458, 460 [2] 249, 293, 310, 392, 493
송석준 [1] 28
송석하 [2] 182
송수환 [2] 220
송숙정 [1] 450 [2] 227, 228, 385
송승원 [2] 350
송승종 [1] 220, 221 [2] 310, 311, 313
송신애 [1] 412
송양섭 [1] 352 [2] 349
송연옥 [1] 97, 101, 249 [2] 126
송영길 [1] 27, 28
송영무 [1] 178, 234
송영빈 [2] 244, 247
송영선 [1] 93, 158, 159 [2] 64
송영훈 [2] 314
송옥주 [1] 28
송완범 [1] 96, 97, 193, 273, 412, 416, 424, 425, 441 [2] 76, 84, 107, 266, 493

송은미 1 408, 451
송일호 2 249
송재호(동서대) 1 346
송재호(국회의원) 1 27, 28
송정식 1 422
송정현 1 135, 409, 414, 416, 419, 421, 422, 445 2 32, 153, 249, 260, 271, 346
송주명 2 46, 166, 293
송준헌 2 293, 311
송지연 1 178, 307, 396, 397, 401, 403 2 144, 165, 166, 363, 493
송창섭 1 137
송하경 1 64
송하진 1 114, 115
송혁기 2 108
송현순 1 273
송형석 2 74
송혜경(고려대) 1 410 2 347
송혜경(방송대) 2 324
송혜선 1 444
송혜원 2 112
송호근 1 329
송화섭 1 129, 130, 134, 145, 158, 159, 160, 161, 192, 198, 392 2 91, 92, 122, 142, 162, 291, 494
송효섭 1 352
송휘영 1 428, 449, 455, 456 2 272
송희경 1 119
순 종 1 92
신각수 1 19, 79, 96, 99, 101, 174, 178, 180, 198, 220, 234, 236, 237, 305, 306, 307, 320, 321, 322, 323, 324, 328, 330, 331, 334, 335, 336, 337, 385 2 19, 92, 119, 142, 164, 166, 250, 404, 494
신격호 1 88
신경식(조선시대통신사현창회) 1 19, 116, 120 2 19
신경식(한서대) 2 293
신경호(고쿠시칸대) 1 314, 317, 443, 460 2 126, 128, 250
신경호(전남대) 2 221
신광성 1 119
신광철 1 347, 352 2 349
신근영 1 410, 416, 422
신근우 1 119
신근재 2 117
신기수(조선통신사연구가) 1 97
신기수(조선시대통신사현창회) 1 119, 120
신기영 1 199 2 135, 137, 141, 143, 162, 174, 354
신기욱 1 235, 237
신기현 2 247
신나라 2 374
신나연 1 20 2 20
신다슬 1 349
신다윗 1 160 2 289
신동규 1 427, 438, 449 2 33
신동근 1 28
신동빈 1 84
신동애 2 162
신동원 1 138
신동주 1 284

신동천 ❶ 212
신동호(스포츠조선) ❶ 99
신동호(고령신씨) ❶ 119
신만철 ❷ 323
신명순 ❷ 211
신미나 ❷ 89
신미라 ❶ 137, 396
신미숙 ❶ 352
신민정 ❷ 218
신민철 ❶ 449, 451 ❷ 45, 272
신방수 ❶ 119
신범식 ❷ 92, 171, 173, 174, 175, 176, 361
신범철(아산정책연구원, 국립외교원 등) ❶ 178, 220, 221, 236, 237, 269 ❷ 91, 312
신범철(경기대) ❷ 67
신보영 ❶ 250
신복룡 ❶ 455 ❷ 279
신봉길 ❷ 90
신부남 ❶ 198
신사임당 ❷ 234
신상규 ❷ 144
신상범 ❷ 338
신상엽 ❷ 67
신상진 ❶ 153 ❷ 30
신상협 ❷ 67
신상훈 ❶ 323, 324 ❷ 494
신석호 ❶ 119, 120
신선향 ❷ 40
신성균 ❷ 298
신성숙 ❶ 433
신성오 ❶ 139
신성욱 ❶ 273, 348
신성택 ❶ 154
신성호 ❶ 135, 178 ❷ 91, 92, 173, 179
신성환 ❶ 221 ❷ 311
신소정 ❶ 411
신숙주 ❶ 94
신승모 ❶ 411 ❷ 28, 87, 90, 112, 113, 117, 346, 347
신시영 ❷ 71
신연성 ❶ 251
신영대 ❶ 28
신영수(한반도평화만들기) ❶ 328
신영수(서울대) ❶ 382
신영순 ❶ 221 ❷ 310, 311
신예리 ❶ 99
신완철 ❶ 261
신왕수 ❶ 119
신용순 ❶ 283
신용태 ❷ 117
신용하 ❶ 242, 247
신우정 ❶ 131
신우진 ❶ 386
신욱희 ❶ 137 ❷ 173, 174, 176, 361
신원식 ❶ 28, 223, 234, 235, 236, 237
신원호 ❶ 119
신유섭 ❷ 278
신유정 ❷ 366
신윤석 ❷ 59
신윤순 ❶ 261
신윤주 ❶ 448
신윤철 ❶ 20 ❷ 20
신윤환 ❷ 132
신윤희 ❶ 213

신은미 1 461
신은성 2 295
신은정 1 451 2 274
신은주 2 194
신은진 1 407, 412, 413, 422
신응균 1 138
신의순 1 207
신의식 2 227
신이화 1 97, 266
신인섭 2 27
신장철 1 400 2 38, 389
신장호 1 445, 446 2 34
신재민 1 419 2 79
신재인 2 106
신재혁 2 338, 373
신재현 1 145
신재홍 2 51
신정근 2 203
신정승 1 137
신정철 2 167
신정택 1 338
신정현 2 58, 64
신정화 1 130, 151, 198, 199, 210, 232, 269, 270, 357, 398, 399, 402, 403, 405 2 58, 102, 146, 293, 311, 495
신종대 2 59, 60, 328
신종원 1 206
신종호 1 145
신주백(연세대) 1 432 2 53
신주백(독립기념관) 2 317
신중현 1 119
신지숙 2 29, 344,계 387
신지영 2 70,
신지원(전남대) 1 352 2 349
신지원(쇼와여대) 2 388
신지호 2 293
신진숙 2 67
신진영 2 362
신진욱 1 352 2 328
신창훈 1 167
신충균 2 42, 224, 247
신태민 1 283
신태훈 2 265
신하경 1 408, 414, 421, 422 2 38, 70, 104, 134, 144, 151, 206, 217, 218, 261, 262
신현규 2 227
신현선 2 393
신현승 2 246
신현정 1 422
신현준 2 187, 192
신현태 2 35
신현호(변호사) 1 329
신현호(리코코리아) 1 386
신현확 1 53
신혜수 1 132 2 170
신 호 1 147, 268
신화수 1 119
신효균 1 284
신효순 1 89
신효승 1 241, 249 2 214
신후범 1 124
신훈식(EY한영) 1 354
신훈식(서울대) 2 283

신홍식 ❶ 119
신희석 ❶ 250, 432
신희용 ❶ 119
심규선 ❶ 46, 47, 97, 99, 119, 130, 131, 132, 133, 134, 137, 145, 150, 170, 178, 209, 232, 258, 260, 267, 270, 272, 273, 285, 304, 305, 306, 307, 312, 316, 319, 320, 321, 322, 323, 324, 326, 347, 385, 399 ❷ 100, 122, 123, 125, 152, 157, 158, 159, 166, 178, 495
심기재 ❶ 438
심나리 ❶ 137
심당길 ❶ 282
심대평 ❶ 110
심미정 ❷ 162
심민정(부경대) ❶ 425, 427, 428
심민정(동명대) ❶ 426
심보경 ❶ 95
심상균 ❶ 338
심상정 ❶ 27, 28
심세현 ❷ 372, 373
심수경 ❷ 385
심수관(14대) ❶ 58
심수관(15대) ❶ 58. 282
심아정 ❷ 168
심영신 ❷ 317
심우진 ❷ 172
심원섭 ❶ 432
심윤섭 ❷ 289
심윤조 ❶ 57, 58, 59, 60, 307, 324 ❷ 495
심은주 ❶ 386
심재권 ❶ 307
심재룡 ❶ 91
심재욱 ❶ 433
심재현 ❶ 20 ❷ 20, 243
심정구 ❶ 54
심정명(조선대) ❶ 411 ❷ 260
심정명(도시샤대) ❶ 413 ❷ 71
심정명 ❷ 56
심정명(한양대) ❷ 135, 143,
심정명(건국대) ❷ 206
심정보 ❶ 173, 404 ❷ 320
심종숙 ❷ 231
심지연 ❷ 59
심진태 ❶ 261
심한기 ❶ 374
심한별 ❷ 172
심해수 ❷ 331
심헌용 ❶ 456, 460 ❷ 281
심현정 ❶ 362
심호섭 ❶ 457
심희찬(연세대) ❶ 436, 441 ❷ 269
심희찬(원광대) ❶ 446

안경모 ❷ 299
안경자 ❷ 115
안계춘 ❶ 98
안광수 ❷ 312
안광호 ❶ 88
안기석 ❷ 71
안기웅 ❶ 124, 125
안남일 ❷ 55
안대회 ❷ 203

안덕근 [1] 78, 206, 207 [2] 179
안동립 [2] 320
안두환 [2] 280, 361
안리라 [2] 337
안미정 [2] 183, 190
안미향 [2] 212
안민석 [1] 27, 28
안병삼 [1] 461 [2] 281, 282
안병성 [1] 159 [2] 291
안병준 [1] 219, 308
안병훈 [1] 99
안상수 [1] 110
안상영 [1] 110, 289
안석기 [1] 160
안선주 [2] 36
안세영 [1] 207, 307
안세홍 [1] 250
안소영(경희대) [1] 400
안소영(국민대) [2] 103, 104
안수현 [1] 288
안숙선 [1] 104, 105
안승택 [2] 111
안승훈 [2] 51
안영신 [1] 374
안예담 [2] 140
안외순 [2] 280
안용근 [1] 260
안용복 [1] 242 [2] 265, 319
안용현 [1] 220
안용희 [2] 116
안우식 [1] 91, 276
안운호 [2] 320
안재봉 [1] 265
안재우 [1] 88
안재익 [2] 166
안정숙 [2] 32
안정애 [1] 63
안정옥 [2] 338
안정호 [1] 20 [2] 20
안정화 [2] 277
안제노 [2] 296
안종원 [1] 324
안종철 [1] 258
안주영 [2] 185
안준현(히로시마대) [1] 435
안준현(영남대) [1] 436
안중근 [1] 97
안증환 [1] 452 [2] 45
안지나 [1] 417 [2] 207, 323
안지영(군산대) [1] 413, 451 [2] 30, 261
안지영(대구대) [2] 227
안철영 [1] 411 [2] 51, 323
안총기 [1] 321, 324
안충영 [1] 93, 94, 205, 206, 207, 208, 212, 307
안치원 [1] 433
안태현 [2] 177
안평호 [1] 422 [2] 37, 149
안해룡 [1] 433
안현준 [1] 272, 273
안현호 [1] 211
안혜리 [1] 99
안호영 [1] 329, 331 [2] 61
안희정 [1] 451 [2] 40

양갑용 1 163 2 296, 297
양경모 2 33
양광수 2 271
양금희 1 28
양기웅 1 133 2 277, 496
양기호 1 20, 129, 130, 131, 132, 133, 134, 146, 149, 150, 177, 178, 193, 196, 211, 270, 306, 307, 312, 313, 315, 317, 329, 336, 390, 391, 392, 393, 394, 396, 397, 399, 410, 432~433 2 20, 36, 140, 148, 178, 249, 264, 299, 454, 496
양길현 1 206 2 328
양내윤 2 228
양동국 2 35, 50, 323, 386
양동일 1 56
양만식 2 59
양명심 2 113
양무승 1 84
양무진 2 60
양문수 2 59, 60, 64
양미강 1 177, 178, 250 2 169
양민아 1 461
양민주 1 158
양민호 2 107
양상우 2 212
양석용 1 381
양선희 1 448
양성윤 2 343
양세은 1 386
양 수 2 88
양순담 1 63
양시은 2 316
양아람 1 381
양영균 1 154
양영식 1 155
양용웅 1 324
양 우 1 407
양운철 1 269
양원석 1 261
양윤모 2 191
양의모 1 435
양익모 1 436 2 232, 269
양인실 1 411, 416 2 51, 333
양인집 1 57, 59, 60, 78, 354 2 496
양일모(한림대) 1 94
양일모(서울대) 2 139, 141
양재성 1 237
양재인 2 59
양정규 1 45
양정숙 1 28
양정윤 2 174, 175
양조훈 1 260
양종민 2 177
양준석 2 280
양준호 1 352
양지영 2 166
양지원 2 166
양진아 2 265
양징자 2 170
양찬우 1 88, 89
양창영 1 49
양창원 2 350
양향자 1 28

양현아 2 169, 170
양호민 1 405
양호성 1 443
양효성 1 119, 120
양홍숙 1 426, 428 2 266
양희민 1 20, 324 2 20
양희승(드라마 작가) 2 56
양희승(연세대) 2 380
어기구 1 28
어수영 1 92, 402, 405
어수정 2 29
엄규백 1 92
엄기권 1 450 2 128
엄기영 2 108
엄기표 1 119
엄미옥 2 207
엄 석 1 206
엄석인 1 442
엄석진 2 162
엄은희 2 172
엄인경 1 413, 421 2 70, 77, 81, 84, 262, 333, 334, 346
엄장혁 2 111
엄정식 1 457
엄종식 1 220
엄찬호 1 428
엄태봉 1 131, 132, 134, 135, 173, 396, 402, 403, 404, 405, 409, 457 2 101, 146, 152, 243, 249, 342, 496
엄태웅 2 106, 108
엄태일 2 320
엄필교 2 32~33
엄혜원 2 153
엄혜진 2 374
엄효섭 1 88
에반 강 1 377, 378
여건이 1 39, 56, 59, 61
여동찬 1 182
여문환 1 95
여박동 2 29
여운준 1 116, 119, 120
여운형 2 213
여인만 2 134, 135, 136, 143, 146, 147, 156, 159, 166, 353, 354, 497
여인호 2 59
여현정 2 330
역도산 2 117
연경심 1 347
연규홍 1 352
연민수(동북아역사재단) 1 245, 246, 424, 427, 429
연민수(부경대) 1 423, 425
연상모(니가타총영사) 1 131
연상모(성신여대 동아시아연구소) 2 205
연순옥 1 20, 75 2 20
연하구 1 138
연현식 1 158, 159
염동우 1 20 2 20
염동임 1 20 2 20
염미란 1 451
염복규 2 54, 55, 218, 316
염상섭 2 152
염승준 1 437
염재호 1 79, 178, 317, 324, 405 2 58, 84,

497
염찬희 2 190
염홍철 2 58
영친왕 1 53
예동근 1 461 2 282
예영준 1 95, 96, 99, 102 2 158, 497
오강웅 1 123. 124
오경록 1 124
오경석 1 306, 307, 324
오경섭 2 288
오경순 1 412 2 26
오광현 1 277
오금아 1 357
오기평 1 98, 152, 405
오대영 2 51
오동룡 1 397 2 498
오명석 2 172, 185, 359
오미선 2 29
오미숙 2 338
오미영 2 38, 51, 324
오미정(한신대) 2 46
오미정(서울대 일본연구소) 2 166
오병우 1 449
오사랑 1 381
오상광 1 285
오상학 2 320
오석규 2 57
오석희 2 51
오 성 1 93, 94, 98, 427
오성숙 2 70, 230, 231, 270
오성엽 1 329
오세정(충북대) 1 352
오세정(국회의원) 2 250
오세종 2 70, 71, 72, 220, 346
오수문 1 445, 449 2 31
오승익 2 290
오승희 1 20, 135, 173, 174, 175, 179, 182, 395, 396, 402, 403, 404, 405, 455 2 20, 115, 146, 147, 160, 165, 168, 204, 230, 257, 277, 388, 498
오시진 2 88, 320
오 언 1 88
오영숙 2 190, 192
오영아 1 412
오영주 1 131, 132, 135, 136
오영태 1 349
오영환(중앙일보) 1 20, 133, 137, 148, 178, 208, 209, 269, 307, 319 2 20, 498
오영환(조선시대통신사현창회) 1 116
오영훈(국회의원) 1 27, 28, 37, 38, 39 2 250
오원배 1 98
오윤정 2 74, 145, 147
오은영(오사카경제법과대) 1 413
오은영(한양여대) 1 448
오은정 1 433
오은진 2 374
오응준 1 57
오일석 2 295, 296, 297
오일환(ARGO연구소 등) 1 259, 391, 431, 433
오일환(광운대) 1 399
오재혁 2 244, 247
오재훤 2 137, 166

오재희 1 138
오정만 2 58, 60
오정주 1 74
오정현 2 286
오제세 1 36, 37, 38, 57, 58, 60
오제연 2 198
오지은 2 56
오찬욱 2 33
오창섭 2 56
오창현 2 111
오채현 1 408, 417
오충공 2 191
오태규 1 131, 133, 149, 178, 208, 209, 270, 307, 319, 324, 326, 397 2 499
오태균 1 451
오태돈 1 99
오태헌 2 393
오택섭 1 91, 98
오판술 1 88
오향선 1 447
오현석 1 395, 412, 421, 422, 450 2 36, 114, 250, 262, 391
오현열 2 45
오현영 1 277
오현정 2 27, 247, 262
오현진 2 327
오혜경 1 412
옥경근 1 20, 56, 57, 58 2 20
옥원호 2 59
왕숙영 2 41
왕이호 2 112, 114
왕청일 2 112, 114
왕한석 2 185
왕현종 1 244
우기홍(대한항공) 1 84
우기홍(한국외대) 1 408, 412 2 232, 388, 390
우명숙 2 337
우미성 2 211
우병국(한국국제교류재단) 1 20 2 20
우병국(연세대) 2 211
우병규 1 89
우병원 2 211
우상호 1 27, 28
우석형 1 84
우성국 1 382
우승지 2 280
우완영 1 210
우정엽 1 146, 150, 234, 235, 236, 237, 269, 270 2 91, 285, 341
우종범 1 386
우종원 2 134, 137
우준희 2 351
우찬제 1 92
우창빈 2 278
우형택 1 120
우효상 1 98
원용진 2 62
원우현 1 98
원유경 1 413 2 261
원유철 1 36, 47
원유한 1 98
원종린 1 432

원지연 ❶ 436 ❷ 166, 176, 268
원지은 ❷ 38
원지호 ❷ 168
원태재 ❷ 310, 311
원혜영 ❶ 35, 36, 37, 38, 47
원희룡 ❶ 110, 206
위경혜 ❶ 433
위성락 ❶ 177, 178, 270, 329, 335, 336
위성전 ❶ 119
위신광 ❶ 436
유경민 ❶ 273
유경준 ❶ 27, 28
유경현 ❶ 59
유광석 ❶ 251 ❷ 499
유근일 ❶ 99
유근호 ❶ 90, 92, 405
유기정 ❶ 82
유기홍 ❶ 28, 238, 250
유길동 ❷ 225
유나영 ❶ 193 ❷ 204, 205, 372
유다건 ❶ 449
유다인 ❷ 137, 166
유동수 ❶ 28
유명순 ❶ 307
유명환 ❶ 58, 99, 101, 170, 178, 210, 211, 220, 304, 305, 307, 308, 310, 317, 329, 331 ❷ 499
유미림 ❷ 279, 319
유미선 ❷ 30
유민석 ❷ 324
유병선 ❶ 260
유봉식 ❷ 75
유상희 ❷ 137, 166
유선영 ❷ 187, 189, 190, 191, 192
유선종 ❷ 217
유성걸 ❶ 27, 28
유성옥 ❶ 237
유성우 ❶ 206
유수연 ❶ 408
유수정 ❶ 417 ❷ 50, 206, 207, 269
유숙자 ❶ 433
유승희 ❶ 36, 37, 38, 39
유시현 ❶ 456
유신모 ❶ 131 ❷ 499
유아름 ❶ 382
유연정 ❶ 396
유영렬 ❶ 433
유영민 ❶ 415 ❷ 115, 117
유영수(SBS) ❶ 285
유영수(북한대학원대) ❷ 360
유영철 ❶ 158
유예진 ❷ 35, 247
유옥희 ❷ 29
유요한 ❶ 352
유용원 ❶ 236, 237
유육례 ❷ 375
유은경 ❷ 31
유은지 ❷ 227
유은혜 ❶ 248
유의상 ❶ 131, 133, 312, 329 ❷ 248, 500
유이화 ❶ 324
유인태(연세대) ❶ 394 ❷ 140
유인태(전북대) ❷ 174, 175, 380
유일호 ❶ 98

유임하 [2] 113, 117
유자은 [1] 323, 324
유재건 [1] 206, 212
유재성 [2] 74
유재연 [2] 33
유재중 [1] 57, 58, 60
유재진 [1] 20, 317, 412, 421 [2] 20, 29, 79, 83, 84, 334, 394
유재천 [1] 91, 92, 98
유재춘 [1] 426, 427
유정길 [1] 273
유정복 [1] 110
유정애 [2] 198
유정원 [2] 74
유제상 [2] 205
유종권 [1] 286
유종목 [1] 291
유주열 [1] 20 [2] 20, 500
유준구 [1] 130 [2] 174, 283
유준희 [1] 412
유지아 [1] 257, 393, 394, 400, 424, 426, 432, 433, 435, 436, 437, 438 [2] 53, 54 104, 142, 146, 258, 264, 266, 267, 268, 342, 500
유지연 [2] 174
유지용 [1] 160
유지현 [2] 375
유지혜(중앙일보) [1] 235, 237
유지혜(건국대) [1] 410
유창수 [1] 182
유창순 [1] 53
유채연 [1] 426, 428
유채영 [2] 166
유철인 [2] 180, 181
유철준 [1] 322, 323, 324 [2] 501
유초하 [2] 191
유충렬 [1] 124
유태하 [2] 249
유하영 [1] 240
유혁수 [2] 141, 147, 159, 353, 354
유현석 [1] 145, 147, 307 [2] 328, 340
유현정(세종연구소) [2] 284
유현정(국가안보전략연구원) [2] 294, 296, 297
유형숙 [1] 443 [2] 128
유혜민 [1] 273
유혜영 [2] 177
유홍렬 [1] 88
유효종 [1] 433
유흥수 [1] 45, 56, 57, 58, 59, 60, 61 [2] 122, 501
유흥종 [1] 223
육근화 [2] 32, 275
육모세 [2] 379
육 선 [1] 350
육성희 [2] 206
육수현 [2] 172
육철수 [1] 20 [2] 20
윤강구 [2] 28
윤건차 [1] 433 [2] 112
윤경남 [1] 261
윤경원 [2] 171
윤관석 [1] 28
윤광일 [2] 299
윤근향 [1] 63

윤 기 1 299, 329
윤기엽 2 134, 154, 166
윤대석 2 334
윤대식 1 455
윤대엽(한국고등교육재단) 1 392
윤대엽(연세대) 1 394 2 351
윤대엽(대전대) 1 395, 396, 402, 403, 405, 456 2 327, 341, 342, 380, 501
윤대원 1 98
윤덕룡 1 207 2 92
윤덕민 1 20, 58, 95, 96, 98, 139, 165, 178, 195, 206, 234, 235, 237, 306, 307, 320 324 2 20, 91, 119, 120, 121, 123, 124, 142, 148, 412, 502
윤동설 1 119, 120
윤두현 1 28
윤명길 1 123, 124
윤명로 2 45
윤명숙 1 416, 433 2 69, 70, 71, 115
윤명철 2 106
윤미향 2 188
윤민우 2 174, 312
윤백남 2 54
윤병남 1 94, 178 2 356
윤병세 1 20, 214, 215, 218 2 20
윤병일 1 260
윤복희 2 32
윤 비 2 203
윤상실 2 33
윤상인(한양대) 1 92
윤상인 2 116
윤상인(서울대) 2 143, 160, 165, 166
윤상한 1 407, 413, 421 2 346
윤상현(국회의원) 1 27, 28, 36
윤상현 2 116
윤석남 1 449
윤석민 1 307
윤석상(한국외대) 1 393 2 310
윤석상 2 108, 388
윤석상(단국대) 2 293
윤석정 1 20, 131, 132, 134, 135, 136, 137, 165, 175, 397, 398, 402, 403, 404, 405, 418, 455, 457 2 20, 100, 101, 104, 146, 147, 152, 249, 353, 363, 502
윤석헌 1 138
윤선민 2 286
윤선용 1 408 2 259
윤성원 2 390
윤성이 2 112
윤성익 2 265
윤성진 1 116
윤성환 2 74
윤세리 1 178
윤세병 2 54
윤송이 1 411 2 70, 113
윤수경 1 212
윤순진 2 149, 357
윤승민 1 450 2 231
윤승주 2 374
윤영관 1 135, 225, 237 2 176
윤영기 2 28
윤영도 2 54, 192
윤영민 1 407

윤영상 2 286
윤영석 1 27, 28
윤영수 2 27
윤영실 2 90
윤영찬 1 27, 28
윤영해 2 207
윤영희 1 74
윤용숙 1 63
윤용이 1 95
윤용집 1 182
윤용혁 1 119, 120
윤유숙 1 243, 244, 245, 246, 428
윤은자 1 75
윤은혜 2 125
윤은호 1 409 2 218
윤이숙 1 197 2 30
윤인진 1 460 2 88, 89, 281, 337
윤인호 1 78
윤 일 1 451 2 34
윤재갑 1 28
윤재석 2 45
윤재옥 1 27, 28
윤정석 1 397, 405
윤정옥 2 169
윤정원 2 358
윤정훈 1 451 2 34
윤종규 1 84, 319, 324, 385
윤종석 2 172
윤주경 1 28
윤지원 2 107, 108, 109, 311, 344
윤지현 1 433
윤지훈 1 247
윤진기 2 59
윤진표 2 205, 373
윤창규 1 262
윤창준 2 74
윤창현 1 329, 330, 334
윤채근 2 106, 107, 108
윤채은 2 51
윤철기 2 329
윤춘호 2 502
윤치호 2 201
윤태성 1 321, 324, 335
윤하은 1 182
윤학준 1 415
윤한홍 1 28
윤해동 1 435 2 246
윤현석 1 286
윤현숙 1 98
윤현지 2 55
윤형진 2 88
윤혜령 2 330
윤혜영 1 448, 449 2 43, 276, 394
윤호미 1 99
윤호중 1 27, 28, 35, 36, 37, 38, 39, 324 2 250
윤홍석 1 130
윤후덕 1 49
윤희석 2 64
은기수 2 149, 179
은수희 2 207
은용수 2 361
은은기 2 74
이가현(고려대) 1 409, 413 2 332

이가현(한국외대) 1 412
이가혜 1 409 2 218
이갑윤 2 64
이 강 1 440
이강국 1 137
이강민 1 15, 20, 108, 317, 422 2 15, 20, 46, 84, 148, 149, 244, 250, 252, 394, 502
이강백 1 381
이강범 2 226, 228
이강원(서울대) 1 392 2 138, 139, 367
이강원(인천대) 1 409, 416, 417 2 41, 217, 218, 261
이강원(KAIST) 2 144
이개호 1 28
이 건 1 440
이건상 2 41, 218
이건식 2 108
이경구 2 203
이경규 1 357 2 33, 127, 128, 247, 248, 272, 273
이경근 2 152
이경묵 1 409 2 366
이경미(동북아역사재단) 1 241, 249, 250, 440 2 152, 214
이경미(서울대) 2 134, 166
이경분 2 134, 135, 136, 138, 142, 164, 166
이경수(방송대) 1 408 2 44, 247
이경수 1 422
이경수(중앙대) 2 228
이경숙 1 98
이경순 1 408
이경욱 1 354
이경운 1 98
이경재 1 84, 324
이경주 1 433 2 64
이경철(동국대) 1 407, 408, 413, 417, 421 2 32, 117, 246, 247, 261, 394
이경철(법률사무소 심우) 1 261
이경태(고려대) 1 77, 78, 79
이경태(재일동포) 1 281
이경화(한국외대) 1 409 2 230, 231
이경화(단국대) 2 106
이경훈 1 250
이경희(한국체대) 1 441 2 147, 355
이경희(한림대) 2 145, 323
이계황 2 218
이관세 2 60, 63, 64
이광규 1 458
이광근 2 358
이광남 1 261
이광래 1 442
이광린 1 90, 91, 98
이광빈 1 250
이광재(국회의원) 1 206
이광재(다마대) 1 431
이광수(덕성여대) 2 32
이광수(소설가) 2 236
이광수(부산외대) 2 359
이구형 1 320, 324
이구홍 1 278, 460
이권기 2 28
이권희(고려대) 1 398 2 388, 389

이권희(단국대) ❶ 441, 442 ❷ 106, 108
이권희(한국외대) ❶ 441 ❷ 109, 230, 269
이귀래 ❶ 262
이규성 ❶ 206
이규수(경원대) ❶ 433
이규수 ❷ 195, 196
이규영 ❶ 98, 223
이 근 ❶ 150, 237, 270, 271 ❷ 58, 92, 140, 340
이근관 ❶ 329, 330, 334 ❷ 92, 136, 142, 165
이근삼 ❶ 91
이근우 ❶ 424, 438
이근욱 ❶ 219 ❷ 299, 311, 313, 314
이기동(성균관대) ❶ 95, 442
이기동(동국대) ❶ 98
이기동(국가안보전략연구원) ❶ 165
이기동(계명대) ❷ 74
이기범(경기대) ❶ 119
이기범(아산정책연구원) ❶ 167, 235, 237 ❷ 300
이기선 ❶ 386
이기섭 ❷ 37
이기성 ❶ 353
이기식 ❶ 234, 237
이기영 ❷ 386
이기용 ❶ 423, 429 ❷ 36
이기웅 ❷ 190, 192
이기원(강원대) ❶ 390, 410, 421, 426, 438, 441 ❷ 246
이기원(건국대) ❷ 54
이기창 ❶ 283
이기철 ❷ 226
이기태 ❶ 20, 129, 135, 137, 151, 154, 163, 180, 194, 212, 232, 392, 393, 395, 396, 397, 398, 400, 401, 402, 403, 404, 405, 412 ❷ 20, 104, 142, 146, 149, 162, 174, 175, 176, 262, 292, 311, 341, 342, 379, 503
이기표 ❶ 284
이기혜 ❷ 70
이기호(한신대) ❶ 133
이기호(샤프전자부품) ❶ 177, 178
이길용 ❷ 42, 225, 226, 227, 228, 244, 246, 248, 250
이길원 ❷ 33, 247
이길자 ❶ 98
이길호 ❷ 366
이길훈 ❷ 54
이나영 ❷ 170, 503
이나올 ❶ 212
이낙연 ❶ 27, 28, 45, 58, 110, 202, 299, 304, 307, 337 ❷ 503
이남석 ❷ 290
이내영 ❷ 89, 90, 340
이달희 ❶ 158
이덕희 ❷ 381
이대근(경향신문) ❶ 135, 178
이대근(우석대) ❷ 329
이대범 ❷ 113
이대수 ❶ 88
이대순 ❶ 53, 57, 58, 59, 60, 93, 99, 101 ❷ 504
이대우 ❶ 147, 151, 269

이대화 1 433
이덕구 1 447
이덕배 2 41
이덕영 1 451
이덕주 1 283
이덕희 1 460 2 281
이도형 1 90, 91, 92, 283, 285
이동녕 1 88
이동률 1 173, 174, 182
이동민 2 299
이동복 1 99
이동선 1 133 2 87, 88, 91, 340, 363
이동원 1 88
이동은 2 88
이동준(성균관대) 1 95
이동준(고려대) 1 393 2 89, 324, 362
이동호(부산) 1 119, 120
이동호(서울시립대) 1 119
이동화 1 88
이동환 1 88
이동훈 1 438 2 74, 146, 263, 389
이동휘 1 130
이리카(李理花) 2 114
이만열 1 248
이만익 1 92, 99
이만희 1 28
이면우 1 20, 131, 133, 134, 140, 143, 144, 145, 146, 147, 149, 150, 151, 174, 193, 194, 198, 268, 269, 270, 391, 395, 398, 399, 400, 402, 404, 405 2 20, 284, 285, 504
이명렬 1 149
이명무 2 172
이명박 1 53, 83, 84, 110, 159, 186, 327, 335, 341 2 283, 414, 458, 485, 498, 516
이명수 1 27, 28
이명찬 1 129, 132, 137, 194, 244, 245, 392, 394, 395, 399, 401, 456 2 293, 310, 504
이명훈 1 119, 120
이명희 2 38
이몽학 1 426
이무영 2 236
이무철 1 395
이문섭 1 291
이문웅 2 181, 182, 184, 185
이문호 1 284
이미림 2 225, 226, 246, 385
이미숙(문화일보) 1 135, 136, 137, 208, 209, 307
이미숙(명지대) 2 33, 247, 344, 387
이미숙(서울대) 2 107, 170, 172, 197
이미영 1 444
이미자 2 226
이미재 2 379
이미지 1 415 2 50
이민경 1 135
이민용 2 172
이민자 2 173
이민정 2 136, 166
이민주 1 351 2 349
이민진 1 386
이민화 1 78

이민희 1 411
이방익 2 316
이배용 1 98
이범석(행정자치부) 1 258
이범석(가톨릭대) 2 26
이범준 1 133, 286
이병기 2 504
이병달 2 220
이병례 2 195
이병로 1 424 2 29, 74
이병민 2 107, 109
이병선 1 284
이병수 1 223
이병용 1 155
이병인 2 324
이병진 2 37, 226, 342, 384, 389
이병찬 1 124, 125
이병철 2 62
이병택 1 242
이병하 2 360, 379
이병훈 2 42
이병희(국회의원) 1 26, 45, 61
이병희(일제강제동원피해자지원재단) 1 263
이병희(SBS) 1 178
이보경 2 324
이보람 1 392
이복련 1 63
이복형 1 283
이 봉 1 451
이봉규 1 94
이봉우 2 116, 117
이봉조 1 155
이부승 1 357
이부영 2 71, 213
이부용 1 410, 416, 422
이삼열 1 258
이삼평 1 86
이상경(현대리서치) 1 205
이상경(덕성여대) 2 32
이상국 1 158
이상규(국사편찬위원회) 1 425, 427, 428
이상규(국가안보전략) 2 311
이상균 1 245 2 320
이상근(국가안보전략연구원) 1 210 2 295
이상기(조선시대통신사현창회) 1 120
이상기(한중지역경제협회) 2 213
이상길 1 119
이상덕 1 145, 324 2 122, 505
이상득 1 44
이상렬 1 131
이상만 2 63
이상민(국회의원) 1 27, 28
이상민(한국외대) 2 230, 231
이상범 2 236
이상복 2 273
이상봉 1 433
이상석 1 119, 120
이상설 2 281
이상숙(국립외교원) 1 134
이상숙(가천대) 2 51, 323, 324
이상신 2 288
이상언 1 273
이상열 1 357
이상옥 1 138

이상우(한일문화교류기금, 신아연) 1 58, 90, 92, 95, 101, 102, 223 2 132, 505
이상우(경남대) 2 380
이상원 1 284
이상이 1 408
이상익 1 45, 61
이상일 1 349
이상준((주)화인) 1 84, 124, 125, 324,
이상준(한일청년포럼 기획단) 1 374, 375
이상진 1 447
이상하(동아일보) 1 284
이상하(게이오대) 1 381
이상혁(고려대) 1 410
이상혁(나고야대) 1 414
이상혁(한성대) 2 244, 247, 324
이상현(세종연구소) 1 133, 143, 145, 146, 148, 152 2 92, 93, 257, 277
이상현(한양대) 1 163, 200, 391 2 293, 294, 311
이상현(광주in) 1 273
이상현(연합뉴스) 1 285
이상현(실천민속학회) 2 111
이상호 2 264
이상화 1 92
이상훈(한국외대) 2 44, 104, 108, 231, 232, 387, 390, 505
이상훈(동아일보) 2 147
이상훈(서울대) 2 166, 212, 231, 232
이상훈(연세대) 2 212
이상훈 2 389
이상희(서울대) 1 92
이상희(국방부장관) 1 214, 215, 219, 220, 221
이상희(변호사) 1 249
이상희(한양대) 1 405
이새봄(연세대) 1 398, 438, 441 2 145, 267
이새봄(국민대) 2 101
이새봄 2 155
이 석(KDI) 1 237
이 석(인천대) 1 409, 416, 417, 421, 422 2 41, 151, 217, 218, 355
이석구 1 324
이석민 1 386
이석봉 1 324
이석수 1 205
이석용(한일문화교류기금) 1 99
이석용(한남대) 2 320
이석웅 2 320
이석원 2 268
이선영(신아시아연구소) 1 99
이선영(리쓰메이칸대) 1 349 2 275
이선윤 1 409 2 332
이선이(경희대) 1 248
이선이(성공회대) 2 190
이선화 1 20 2 20, 227, 275
이선희(서울여대) 1 421, 422 2 36
이선희(중앙대) 2 228
이 성(한성대) 1 393
이 성(한신대) 2 46
이 성(성균관대) 2 190
이성규 2 41, 227
이성근 2 38
이성락 1 324
이성민 1 386
이성범 2 171

이성수 1 124
이성우(제주평화연구원) 1 199, 400
이성우(일제강제동원 증언) 1 262
이성우 2 176
이성일 1 210
이성주 2 182
이성한 1 418
이성현 1 150, 269, 270 2 339
이성환 1 455 2 29, 74, 320, 331, 505
이세연(한국교원대) 1 421, 436, 437 2 262, 268
이세연(한양대) 2 106, 246, 247,
이세희 2 366
이소라 1 93
이소미 1 98
이소연 2 283
이 솔 2 357
이송순 2 214
이수경(도쿄가쿠게이대) 1 277, 278 2 128
이수경(건국대) 2 56, 57
이수미 1 413
이수민 1 348, 381
이수석 2 296
이수연 2 70
이수열 1 427 2 265
이수영 1 402
이수정 2 367
이수진(국회의원 · 비례대표) 1 27, 28
이수진(조선시대통신사현창회) 1 120
이수철 1 84, 322, 323, 324 2 506
이수향 1 412
이수현 1 87, 122
이수형 2 297, 372
이수훈 1 38, 79, 130, 205, 322 2 58, 59, 60, 64, 150, 506
이수흥 1 54
이숙연 2 331
이숙이 1 205
이숙종(국회의원) 1 63
이숙종(성균관대) 1 140, 174, 177, 178, 179, 180, 181, 182, 307, 335, 405 2 58, 506
이순남 2 135, 166
이순신 2 50, 420
이순영 2 130
이순욱 2 227
이순천 1 139
이승곤 1 139
이승근 2 74, 285
이승만 1 84, 397, 398, 414, 455 2 249, 343
이승민 1 426, 427, 429 2 266
이승신 1 310 2 506
이승연 2 67
이승원 2 172
이승윤 1 53
이승은 2 282
이승주 1 163, 178, 179, 182, 392 2 173, 174, 175, 176, 294, 311, 361, 363, 507
이승진(동국대) 1 411, 432 2 110, 116
이승진(건국대) 2 112, 263
이승혁 1 211
이승현(샌드연구소) 1 233

이승현(동서대) ❶ 386
이승호 ❶ 84
이승희(동덕여대) ❶ 410, 422, 424, 436, 437 ❷ 32, 112, 114, 145, 249, 262, 268, 346, 356
이승희(동국대) ❶ 433
이승희(가천대) ❷ 51
이승희(성균관대) ❷ 203
이승희(숙명여대) ❷ 375
이시윤 ❷ 36
이시종 ❶ 110, 111
이시준 ❷ 38, 106, 225, 247, 394
이시형 ❶ 149, 306, 307
이신철(변호사) ❶ 38
이신철(성균관대) ❶ 251 ❷ 53, 196, 198
이신화 ❶ 146, 385 ❷ 89, 91, 92, 340
이애리아 ❶ 460
이애숙 ❷ 44
이양수 ❶ 27, 28
이양지 ❶ 91
이어령 ❶ 91 ❷ 116
이연경 ❷ 55
이연계 ❷ 331
이연숙(한일여성친선협회) ❶ 63
이연숙(히도쓰바시대) ❶ 353
이연승 ❷ 139
이연식 ❶ 399, 433 ❷ 87
이연택 ❶ 54
이연호 ❷ 211, 212
이 영(국회의원) ❶ 28
이 영(방송대) ❶ 436 ❷ 44
이영갑 ❶ 339
이영관 ❶ 79, 84, 320, 324, 385 ❷ 507
이영근 ❶ 391, 393
이영길 ❶ 159
이영덕 ❶ 285
이영도 ❶ 250
이영민 ❷ 374
이영석 ❶ 437
이영섭 ❷ 54, 55, 56, 57, 269
이영아 ❶ 351
이영옥 ❷ 317
이영웅 ❶ 261
이영은 ❷ 67
이영일 ❷ 393
이영자 ❶ 74
이영진(전남대) ❶ 392 ❷ 143
이영진(강원대) ❶ 411 ❷ 153, 159, 168, 358
이영진(서울대) ❷ 367
이영진 ❷ 185
이영채 ❷ 54, 191
이영학 ❶ 158
이영현 ❶ 179, 181
이영형 ❶ 456
이영호(인하대) ❶ 251
이영호(동국대) ❶ 411, 415, 417 ❷ 113, 117, 264
이영호(성균관대) ❷ 203
이영훈 ❷ 214
이영희 ❶ 91 ❷ 128, 341
이 예 ❶ 116, 120, 129
이예안 ❶ 415, 421, 443 ❷ 262
이예찬 ❷ 278
이옥연 ❷ 363

이완구 1 110
이완범 1 133, 137, 456
이왕세 1 90, 93
이왕직 2 73
이왕휘 2 150, 209, 361, 363
이요식 1 58, 63, 73, 74, 99 2 507
이 용 1 28
이용구 2 226
이용덕 2 29
이용미(계명대) 1 446
이용미(명지전문대) 2 108
이용범 1 440 2 111
이용복 2 289
이용선 1 27, 28
이용성 1 284
이용수 2 169
이용숙(덕성여대) 1 92
이용숙(간사이국제대) 1 319, 324
이용욱 2 90, 92, 361
이용운 2 166
이용재 1 120
이용준 1 205
이용현 2 129
이용호 1 28
이용희 1 152
이우경 1 98
이우광 1 78, 79
이우연 2 214
이우영 2 60, 329
이우태 2 288
이욱혜 2 80
이운조 1 124
이운호 1 124
이원경 2 174
이원덕 1 20, 46, 47, 129, 130, 131, 133, 134, 135, 145, 149, 173, 174, 177, 178, 179, 181, 199, 200, 244, 329, 331, 333, 334, 335, 336, 337, 385, 392, 393, 394, 398, 399, 400, 404, 405, 410 2 20, 30, 64, 100, 102, 103, 104, 120, 121, 122, 124, 125, 140, 142, 148, 164, 250, 259, 341, 408, 506
이원범 1 260, 273, 321, 346, 355, 357 2 125, 349, 508
이원복 1 92
이원영 2 223
이원우 1 95, 241, 242 2 508
이원욱 1 28, 36, 37, 39, 119
이원재(프레시안) 1 273
이원재(문화연대) 1 374
이원조(국회의원) 1 61
이원조(영천시) 1 119
이원택 1 240 2 319
이유사 1 54
이유숙 1 433
이유아 1 357, 412
이유정(중앙일보) 1 237
이유정(고려대) 2 205
이유진(숙명여대) 1 153, 317, 392, 461 2 508
이유진(충남대) 1 349
이유진 1 153
이유표 2 317

이유희 [1] 447 [2] 275
이윤경 [2] 232
이윤길 [1] 284
이윤복 [2] 227
이윤석 [2] 166
이윤영 [2] 170
이윤옥 [2] 231
이윤우 [1] 84
이윤재 [1] 261
이윤주 [1] 447, 450 [2] 274
이윤희 [1] 94
이은경(서울대) [1] 273, 438 [2] 134, 135, 137, 140, 143, 149, 151, 156, 157, 158, 160, 163, 165, 354, 508
이은경(전북대) [2] 375
이은미 [2] 33, 276, 386
이은아 [2] 111
이은정 [1] 393
이은조 [1] 417
이은주(국회의원) [1] 28
이은주(명지전문대) [1] 422
이은준 [1] 351
이은택 [2] 28
이은희 [1] 119
이응수(세종대) [2] 37
이응수 [2] 226
이의규 [2] 248
이의철 [1] 167
이이범 [1] 174, 396, 397, 399, 400, 401 [2] 27, 103, 104, 108, 342, 390, 509
이익주 [2] 317
이인배 [2] 310
이인순 [2] 38
이인실 [1] 208
이인애 [1] 273
이인영(국회의원) [1] 27, 28
이인영(한국외대) [2] 232
이인용 [1] 84
이인우 [2] 327
이인일 [1] 158
이인자 [2] 184
이인재 [2] 51
이인준 [1] 124
이인호(서울대) [1] 98
이인호(미래정책연구소) [2] 311
이인호(국가안보전략연구원) [2] 351
이인희 [1] 348
이임건 [2] 127
이임하(성공회대) [2] 192
이임하 [2] 195
이자원 [1] 386
이자호 [2] 28, 262
이장호(영화감독) [1] 93, 99
이장호(BNK금융지주) [1] 338, 344
이장희 [1] 258, 259
이재갑 [2] 191
이재령 [2] 108
이재민 [1] 329 [2] 139, 179
이재범 [1] 95, 429
이재석(경기대) [1] 242, 243
이재석(한성대) [1] 424, 428, 436, 437, 438 [2] 201, 267
이재성 [2] 42
이재승 [1] 178 [2] 92, 339, 340

이재열 1 178 2 171
이재영 1 124
이재욱 1 98
이재은 2 51
이재정 1 28
이재준 2 207
이재준(서울대) 2 286
이재철 1 260
이재춘 1 99, 101
이재현 1 167 2 91, 92, 93
이재형 1 44, 61
이재호 1 99
이재환 2 106
이재훈 1 426 2 28, 66, 70
이정걸 1 119
이정남 2 87, 88, 90, 91, 337
이정덕 2 180
이정미 1 36
이정민 2 363
이정범 2 166
이정복 1 405 2 64
이정부 1 261
이정빈(외무부) 1 139
이정빈(동북아역사재단) 2 106
이정선 2 115
이정수(동서대) 2 32
이정수(재일동포3세) 2 191
이정실 2 168
이정오 1 152
이정옥한 2 272
이정우 1 264
이정욱 1 448
이정은(한국화) 2 129
이정은(국사편찬위원회) 2 147
이정은(성공회대) 2 188, 189, 192
이정은(서울대) 2 357, 375
이정철 1 135 2 288
이정호 1 386
이정화 2 79
이정환 1 131, 132, 133, 134, 135, 136, 138, 173, 174, 175, 178, 180, 199, 200, 390, 391, 394, 396, 397, 398, 399, 400, 401, 402, 403 2 89, 104, 140, 141, 144, 160, 162, 165, 166, 174, 175, 176, 177, 178, 208, 342, 354, 356, 361, 363, 379, 388, 509
이정훈 2 89
이정훈(연세대) 2 311, 379
이정훈(건국대) 2 332
이정훈(동아일보) 2 379
이정희(중앙대) 1 98
이정희(광주교대) 1 422
이정희(신라대) 2 38
이정희(위덕대) 2 40
이정희(숙명여대) 2 207
이종각 1 285
이종걸(한국외대) 1 98
이종걸(국회의원) 1 324
이종광 2 74
이종구 2 134, 166
이종국 1 138, 391 2 267, 509
이종균 1 57
이종락 2 509
이종배 1 28

이종석 1 269
이종성 1 28
이종수 2 316
이종식 2 337
이종완 1 57
이종우 1 88
이종욱(서강대) 1 98
이종욱(서울대) 1 99
이종원(와세다대) 1 130, 132, 134, 136, 148, 169, 232, 271 2 60, 148, 150, 160, 288, 320
이종윤(한국외대) 1 90 2 64
이종윤(한일경제협회) 1 170
이종은 2 104
이종전 1 283
이종철 1 257
이종태 2 211
이종하 2 211
이종혁 1 437
이종현 1 381
이종호 2 152
이종화 2 87
이종환 2 157
이종훈 1 460
이주경 1 180, 396, 401, 402 2 89, 258, 389, 510
이주노 2 220
이주리애 1 411, 422
이주성 1 258, 261
이주연 2 357
이주영 1 47 2 250
이주익 2 330
이주현 2 172
이주환 1 27, 28
이주흠 1 139
이준규 1 57, 58, 59, 60, 139, 310, 316, 319 2 510
이준락 1 119
이준서 2 36
이준섭 2 28
이준식 1 433
이준영(시사저널) 1 135 2 271
이준영(숭실대) 1 362, 363
이준호 2 317
이준희 2 166
이중구 1 130, 158, 457
이중우 2 211
이지선 2 38, 134, 166
이지영(국민대) 1 179, 392, 395, 401 2 375
이지영(한국외대) 1 391 2 104, 251
이지영(동국대) 1 411, 415, 417 2 112, 115, 117, 168
이지영(연세대) 2 389
이지용(고려대) 1 348
이지용(계명대) 2 74, 310, 312
이지웅 1 283
이지원(한림대) 1 98, 422 2 45, 136, 144, 356, 359
이지은 1 386. 433
이지평 1 131, 132, 138, 329, 330, 334 2 64, 141, 143, 147, 510
이지향 2 70
이지혁 2 172, 350
이지현 2 270

이지형(아산정책연구원) 1 167
이지형(숙명여대) 1 410, 417, 420, 422 2 38, 70, 126, 144, 145, 146, 147, 206, 207, 333, 347, 354, 386, 510
이지형(아주대) 2 114
이 진 1 273
이진교 2 111
이진기 1 456
이진명 1 20 2 20
이진복 1 35, 37, 38 2 250
이진섭 1 324
이진아 2 207
이진영 1 460 2 281
이진우 2 79
이진원(통일연구원) 1 154 2 205, 249, 250, 262, 391
이진원(서울시립대) 1 410, 422 2 71, 112, 205, 249, 250, 262
이진일 2 195, 197
이진태 1 74
이진한 1 353
이진혜 2 357
이진호 2 40
이진후 2 41
이진희(재일사학자) 1 92, 276, 415
이진희 1 433
이찬우 2 64, 170
이찬행 2 196
이창동 1 414 2 50
이창민 1 132, 135, 136, 180, 353, 394, 396, 401, 403 2 44, 73, 90, 141, 158, 205, 231, 388, 390, 511
이창수 1 441 2 28, 66, 67
이창용 2 87
이창원 1 461 2 289
이창익 2 42
이창재 1 205
이창형 2 88
이창호 1 461 2 366
이채원 2 374
이채익 1 27, 28, 35, 36, 38
이철경 1 63
이철규 1 28
이철우 2 214
이철원 2 230
이철의 1 415
이철호 2 285
이철희(국회의원) 1 178
이철희(CJ그룹) 1 324
이청규 2 180, 181
이춘구 1 283
이춘식 1 124
이춘희 1 110, 114
이충구 1 53
이충규 1 448, 449, 451 2 275, 276
이충렬 2 28
이충원 1 134
이충한 1 373, 374, 375
이충호 1 410, 447, 451 2 34, 107, 227, 332, 333, 343, 393
이치백 1 283
이태동 2 361
이태영 1 91, 92
이태욱 1 98 2 132

이태원 [1] 99, 223
이태윤 [1] 386
이태주 [2] 181
이태준(가천대) [2] 51
이태준(소설가) [2] 236
이태진 [1] 92, 247
이태호 [1] 202
이태환 [1] 145
이택광 [2] 218
이택선(서울대) [1] 455
이택선(충남대) [1] 457
이택선(한국외대) [2] 177
이택휘 [1] 455
이평수 [2] 338
이필섭 [1] 88
이하경(중앙일보) [1] 313, 329, 335, 336
이하경(서울대) [2] 167, 168
이하원 [1] 148, 178, 208, 237, 269, 313 [2] 511
이하은 [1] 349
이하자 [2] 38
이학연 [1] 98
이학영 [1] 28
이한기 [1] 100
이한별 [1] 382
이한석(생황연주가) [1] 105
이한석(법무사) [1] 119
이한수 [1] 99
이한우(조선일보) [1] 99
이한우(서강대) [2] 350, 352
이한정 [1] 420, 422, 448 [2] 35, 70, 110, 113, 117, 206, 262
이한주 [1] 20 [2] 20
이한창 [1] 433 [2] 116
이항준 [2] 196
이해경 [1] 74
이해미 [2] 28, 387
이해원 [2] 175
이해정 [2] 283
이해진 [1] 425
이해찬 [1] 201
이행화 [1] 444 [2] 128
이향란 [1] 447, 451 [2] 40
이향철 [1] 353
이 헌 [2] 205
이헌미 [1] 132, 457 [2] 176, 356
이헌승 [1] 28
이헌주 [1] 437
이혁희 [1] 273
이현경(외교부) [1] 135
이현경(캠브리지대) [2] 201, 389
이현무 [2] 289
이현서 [2] 185
이현숙 [1] 447
이현승 [2] 271
이현영 [2] 27, 108
이현우 [2] 43
이현웅 [1] 391
이현정(경상대) [1] 407
아현정(오키나와국제대) [1] 444
이현정 [2] 185
이현주(동북아역사재단) [1] 20, 251, 400 [2] 20, 92, 458, 511
이현주(국민대) [1] 391

이현진(고려대) [1] 416 [2] 83, 84
이현진(영남대) [1] 449, 451
이현진(국민대) [2] 103, 104
이현희 [1] 411
이형남 [1] 432
이형대 [1] 410
이형랑 [1] 433
이형석 [1] 27, 28
이형식(가천대) [1] 391
이형식(국민대) [1] 391
이형식(고려대) [1] 398, 436, 437, 438 [2] 87, 90, 101, 104, 116, 246, 342
이형식(고려대 아세아문제연구원) [2] 90
이형식 [2] 145, 389
이형오 [1] 132 [2] 355
이형재 [2] 33
이형주(나고야대) [1] 425
이형주 [2] 231
이형직 [1] 446
이형진(동아대) [1] 349
이형진(동국대) [2] 116
이혜경 [2] 330
이혜령 [2] 202, 203
이혜숙 [2] 375
이혜순 [1] 74
이혜원 [1] 411
이혜은 [2] 207
이혜인 [1] 448, 450
이혜정(수필가) [1] 74
이혜정(중앙대) [1] 146, 174, 455
이혜진 [2] 153, 251, 283
이 호 [1] 88
이호령 [2] 311
이호상(인천대) [1] 409 [2] 41, 144, 166, 217, 218
이호상(서울대) [2] 134, 162, 166
이호상(국토연구원) [2] 138,
이호상(순천대) [2] 147
이호상(쓰쿠바대) [2] 154
이호승(부산 남구의회) [1] 257
이호승(서울 오산고) [1] 272, 273
이호윤 [1] 410 [2] 271
이호정 [1] 20 [2] 20
이호철 [1] 220 [2] 288, 328
이호현 [2] 183
이홍구 [1] 58, 99, 101, 170, 177, 178, 181, 202, 223, 333
이홍기 [1] 284
이홍렬 [1] 418
이홍렬(동명대) [2] 272
이홍배 [2] 331
이홍섭 [1] 198
이홍식 [2] 362
이홍천 [1] 133
이화영 [1] 205
이 활 [1] 76, 77
이황헌 [1] 386
이효선 [1] 357 [2] 34
이효영 [1] 132
이효원 [1] 351, 352
이 훈(이희건한일교류재단) [1] 317
이 훈(한림대) [1] 424, 425, 429 [2] 266
이 훈(동북아역사재단) [1] 427
이훈상 [1] 177, 178

이홍석 2 339
이휘령 1 84
이희건 1 280, 282, 311, 383 2 110, 117, 144
이희덕 1 98
이희두 2 40
이희만 1 261
이희목 2 203
이희복 1 419, 440, 441, 451 2 27, 246, 248, 270
이희석 1 353
이희옥 1 147, 210, 307 2 203, 327, 328
이희원 1 381
이희호 1 39
인남식 1 205 2 91, 92
인보길 1 99
인재근 2 213
인지훈 2 337
임강택 1 155, 208
임경백 2 198
임경석 2 195, 196, 197
임경준 2 346
임경택(전북대) 2 71, 111, 182, 270, 344, 352, 367
임경택(서울대) 2 181, 184
임경택 2 89
임경화(중앙대) 2 69, 71
임경화(연세대) 2 192
임계순 1 98
임계재 2 375
임광철 1 440 2 113
임권택 1 346
임근실 2 106
임기훈 1 79
임다영 2 107, 109
임다함(가천대) 1 411 2 51, 323
임다함(고려대) 1 415 2 50
임다함 2 81, 83
임대근 1 353, 2 349
임동우 1 352
임동원 1 139, 152
임동진 1 200
임동현 2 55
임만호 2 51
임미향 2 311
임병걸 1 96, 317 2 511
임병태 1 92
임상규 1 119
임상민 1 410, 443, 448, 450 2 33, 128, 275
임상석 2 107
임상선 1 241
임상헌 2 67
임석기 1 261
임석준 1 352, 357 2 349
임선빈 1 120
임성모 1 432, 433 2 89, 162, 188
임성숙 1 409 2 243, 391
임성일 2 208
임성택 1 446, 451
임성호 2 284
임소연 2 144
임송자 1 433
임수정 1 261

임수호 2 296
임승빈 1 151, 312, 317, 401 2 512
임안나 2 185
임 영 1 386
임영상 1 460 2 201
임영언 1 432, 446, 449, 460 2 281
임영진 1 353
임영철 2 84, 225, 227
임영현 1 427 2 265
임오경 1 27, 28
임온규 1 353 2 34
임용택 2 41, 219, 387
임우경 2 70, 203
임유희 2 225
임은정 1 131, 135, 138, 196, 324, 392, 396, 403, 406 2 104, 134, 258, 341, 512
임을출 2 60, 63
임이자 1 28
임인숙 2 376
임일영 1 286
임일준 1 284
임장혁 2 228
임재성 2 170
임재환 2 142, 159, 162
임정아 1 408, 415 2 259
임정희 1 167 2 300
임종석 1 452
임종철 1 89
임준상 1 124
임지영 2 41
임지현 1 260
임진희 2 373
임찬수 2 42, 225, 226, 227, 228
임채성(서울대) 2 134, 135, 138, 162, 163
임채성(릿쿄대) 2 137, 143
임채완 1 460
임철규 1 283
임철희 2 328
임태균 1 411, 421, 422, 449 2 36, 386
임태수 1 62
임태승 2 203
임태홍 2 386
임태훈(인문학협동조합) 2 56
임태훈(한국외대) 2 339
임팔용 2 232
임한택 1 132, 337
임헌찬 2 41
임혁백 1 353
임현정 1 134, 394, 409, 422 2 204, 249, 262
임현주 1 386
임현진 1 182 2 171, 172, 358
임현채 1 427 2 265
임형연 1 418
임혜란 2 171, 172
임호선 1 27, 28
임효재 2 181
임희현 2 135, 137, 166

장경렬 2 139
장경재 2 82
장고은 2 166
장광열 2 299

장규식 2 55
장근수 1 407, 421 2 35, 247
장기영(경기대) 2 174, 177
장기영(서울대) 2 277
장나영 2 54
장달중 1 219, 220
장덕준 2 58
장덕진 1 88
장동익 1 244
장동현 1 84
장미경 2 385
장민선 2 375
장박진 1 393 2 89, 362, 363
장병완 1 38
장보원 2 339
장봉익 2 290
장서윤 1 105
장석만 2 248
장석흥 1 433
장성만 1 338
장성숙 2 35
장성일 2 177
장세원 2 91
장세윤 1 433 2 281
장세인 1 382
장세정 2 120
장세주 1 84
장세진 1 357
장세호 2 296, 297
장세훈 1 353
장소매 2 358
장수현 2 30
장순순 1 425, 426, 427 2 266
장승태 1 45, 61
장 신 1 440 2 73
장안리 1 461
장양광 1 408 2 26, 115
장영달 1 249
장영석 2 192
장영은 2 207
장영철 2 30
장완익 1 38
장용걸 2 27
장용호 1 329
장우진 1 138
장웅선 2 259
장원재(계명대) 1 445 2 29, 247, 388 394
장원재(동아일보) 2 512
장원호 1 353
장위돈 1 138
장유리(경북대) 2 28
장유리(건국대) 2 54
장유리(한림대) 2 243
장윤만 1 256
장윤향 1 447
장익호 1 288
장인성 1 93 2 134, 135, 143, 162, 163, 165, 176, 277, 390, 513
장인수 2 71
장인영 1 285
장인환 2 281
장일수 2 134, 166
장장식 2 105
장재룡 1 220

장재복 1 313
장정래 2 31
장제국 1 20, 79, 151, 304, 306, 307, 321, 323, 324, 329, 336, 339, 346, 355, 356, 357, 385 2 20, 118, 123, 148, 415, 513
장제원 1 27, 28
장준근 2 289
장지원 1 258
장지은 1 422
장진엽 1 97
장진오 1 159 2 291
장진원 1 273
장진호 2 338, 358
장창준 2 213
장철수 1 92
장철운(경남대) 2 61, 63
장철운(통일연구원) 2 288
장청수 1 124
장하원 2 374
장학식 1 89
장현자 1 256
장형근 2 167
장혜선 1 412, 422 2 36
장혜영 1 394
장혜진(한국국방연구원) 1 159, 160 2 291
장혜진(가톨릭관동대) 1 410, 416
장혜진(한양대) 1 440
장홍규 2 43
장화경 2 36
장효재 1 382
장 훈(재일 프로야구선수) 2 117, 275
장 훈(중앙대) 2 119
장희권 2 74
장희주 2 231, 385
전가람 2 155
전갑생(서울대) 2 168, 191
전갑생(방송대) 2 189
전갑생(성공회대) 2 192
전경만(통일교육원) 1 220
전경만 2 311
전경수 2 180, 181, 184, 185
전경숙 2 207
전경옥 2 375
전광자 1 261
전권천 2 298
전덕재 2 106
전동진 1 153
전두환 1 84, 140 2 363
전명운 2 281
전미향 2 74
전병길 1 237
전봉근 1 135, 146, 178, 391 2 283
전산초 1 63
전상숙 1 391, 455 2 104
전상인 1 98
전상현 1 381
전성곤 1 409, 415, 418 2 76, 243, 270, 392
전성엽 2 41
전성용 2 43
전성현 1 433
전성훈 1 154, 155
전여옥 1 92, 346

전여화 1 381
전영선 2 292
전영수 1 409, 422 2 251, 262
전영훈 1 94
전영희 2 35
전완주 2 293, 310
전유미(켈리서비스) 1 79
전유미(책협동조합) 1 374
전의령 2 367
전의찬 1 207
전인평 1 93
전자연(경상대) 2 28
전자연(한국외대) 2 231
전재만 1 134
전재성 1 129, 165, 173, 177, 178, 179, 181, 182, 314 2 91, 142, 173, 175, 176, 177, 178, 361, 363
전재욱 1 353
전재호 2 214
전재희 1 99
전점석 2 59
전정효 2 59
전제국 2 298
전제성 2 350, 359
전종미 2 34
전주현 1 182
전주혜 1 28
전진성(유네스코한국위원회) 1 249
전진성(부산교육대) 2 168
전진호 1 130, 131, 138, 193, 198, 395, 396, 397, 398, 400, 402, 403, 405 2 30, 92, 104, 142, 258, 513
전창범 2 292
전창환 1 444
전충진 2 183
전치형 2 144
전태호 1 349, 352
전하민 2 166
전해종 2 132
전해철 1 28
전 협 1 440
전혜숙 1 27, 28, 35, 36
전호환 1 339
전홍찬 1 353, 357
정가왕 1 104
정갑영 2 211
정강철 1 451
정경진 2 107, 109, 344, 393
정경희 1 28
정광섭 1 93, 428
정광식 2 55
정광중 2 180, 181
정광하 2 64
정광호 1 457
정구연 1 457 2 294
정구영 1 99, 223
정구종 1 20, 58, 105, 107, 108, 130, 133, 138, 205, 206, 307, 308, 317 2 20, 84, 125, 514
정구창 1 259, 260
정구천 1 285
정구현 1 206 2 211
정규식 1 437
정규완 1 349

정근식(서울대) 1 353 2 144, 164, 168, 171
정근식 2 202
정긍식 1 98
정기룡 2 42, 272
정기영(네오위즈) 1 108
정기영(부산외대) 1 124, 125, 356, 357 2 34
정기웅 1 436 2 268, 293, 310
정기인 2 134
정길영 1 124
정남구 1 134, 306, 307, 316 2 514
정남훈 1 349
정년경 1 350
정대균 2 141
정대성 1 433
정대세 2 117
정대철 1 59
정동규 2 51
정동만 1 28
정동영 1 455
정두희 1 98
정명환 1 93
정몽구 1 204, 212
정몽주 1 278
정몽준 1 166
정무형 1 460
정문상 2 51, 324
정미애(국민대 등) 1 390, 391, 393, 400, 404 2 104, 114, 514
정미애(성공회대) 1 396
정민근 2 250
정민지 2 278
정범진 1 116
정법모 2 367
정병국 1 49, 178
정병욱 2 87
정병원 2 123
정병준 2 320
정병호(한양대) 1 353 2 184
정병호(고려대) 1 412, 413, 420, 422 2 29, 77, 78, 80, 81, 84, 117, 126, 332, 334, 386, 514
정병호 2 180
정병호(한양대) 2184
정봉화(대한일보) 1 283
정봉화(경남대) 2 59
정상미 2 38
정상우 2 90
정상철(극동대) 2 30
정상철(한국외대) 2 44, 231, 232, 386
정상철(마산시의회) 2 59
정상현 2 207
정상희 2 74
정서영 1 207
정서용 1 207 2 92, 340
정석규 1 88
정석모 1 45, 61
정석배 2 316
정성욱 2 226, 228
정성윤 2 91, 92
정성일 1 119, 426, 427 2 265, 266
정성임 2 58
정성장 1 147, 269
정성진 1 285

정성철 2 361
정성춘 1 132 2 150, 208
정성택 1 105
정성희(조선시대통신사현창회) 1 120
정성희(경희대 객원연구원) 2 67
정세균 1 47, 50
정세현 1 155 2 214
정소윤 1 382
정수경 1 374
정수남 2 366
정수완 2 113, 117
정수원 1 386
정수일 1 94
정수진 1 417 2 70, 111
정수창 1 82
정순분 2 34, 387
정순원 2 293, 310
정순일 1 438 2 106, 324
정순희 1 74
정슬기 2 375
정승박 2 131
정승연 1 132, 353 2 362
정승운 1 433 2 41, 219, 220, 221, 347
정승은 2 394
정승조 1 220
정승진 2 203
정승호 1 20 2 20
정신영 2 139, 162, 166
정신혁 1 433
정안기 1 426 2 214
정안호 2 312, 313
정애영 1 433
정약전 1 13 2 13
정연순 1 373, 374
정연욱(변화의 첫걸음) 1 273
정연욱(목포대) 2 33
정연태 2 316
정연학 2 111
정영근 1 418
정영록 1 133
정영미(동북아역사재단) 1 240, 242, 244 2 319
정영미(동의대) 1 418 2 128
정영미(한국관광대) 1 450
정영순 2 331
정영신(가톨릭대) 2 71
정영신 2 164
정영철 2 288, 338, 361
정영환 1 249 2 194
정영효 1 285
정영훈 2 134, 166
정용도 1 245
정용서 2 73
정용하 1 433
정우성 1 445
정우종 2 115
정우진 2 295
정우찬 2 387
정우택(국회의원) 1 35, 37, 38
정우택 2 203
정욱성 2 31
정운찬 2 158
정운천 1 27, 28
정운현 1 37

정원식 1 152
정원욱 2 217
정원철 1 180
정위돈 1 138
정유경 2 76
정유리(Center for Asia Leadership Initiative) 1 386
정유리(도쿄대) 2 111
정윤성 1 286
정윤영 1 417
정윤재 1 455
정은경 2 215
정은주 1 347
정은찬 2 350
정응수 1 446, 447, 452 2 31
정의상 2 42
정의신 2 117
정의화 1 49
정이현 1 104, 108
정인경(후쿠오카대) 1 451
정인경 2 275
정인교 1 78 2 89, 293
정인섭 1 460
정인영 2 231
정인재 2 132
정일권 1 44, 53, 88, 89
정일영 1 138, 152
정재각 2 117
정재관(서울컨벤션뷰로) 1 99
정재관 1 223
정재욱 2 62, 177, 293, 311
정재원 2 338
정재은 2 102
정재인 2 232
정재정 1 20, 46, 47, 130, 131, 132, 143, 145, 147, 148, 174, 175, 177, 178, 179, 181, 247, 251, 257, 268, 269, 271, 306, 307, 309, 317, 329, 330, 334, 335, 336, 337, 385, 395, 397, 398, 416, 427, 429 2 20, 92, 101, 121, 124, 148, 159, 431, 515
정재호 1 236, 237, 307 2 172, 176
정재훈 2 167
정재홍 1 146, 148, 151, 269, 401
정전릉 2 111
정점식 1 28
정정숙(한국문화관광연구원) 1 205, 397
정정숙(세종연구소) 2 292
정정훈 2 350
정제호 2 106
정종민 2 366
정종욱 1 98 2 176
정종필(부산국제교류재단) 1 357
정종필(경희대) 2 173
정종현 2 201
정종호 2 179
정주연 2 88, 338, 361
정주영(현대그룹) 1 82, 152, 166
정주영(일본국제기독교대) 1 337
정주윤 2 88
정주화 1 74
정준영 1 391, 436 2 87, 160, 201, 354
정준화 1 120
정지수 2 215

정지영 ❷ 215
정지희 ❶ 403 ❷ 138, 140, 142, 145, 146, 147, 150, 151, 156, 157, 160, 165, 268, 353, 356, 515
정진석(국회위원) ❶ 27, 28, 36, 37, 38, 47
정진석(행정사) ❶ 119
정진성(서울대) ❶ 247, 250 ❷ 169
정진성(방송대) ❷ 44, 134, 135, 141, 143, 145, 146, 147, 163, 353, 354, 355, 356, 515
정진수 ❶ 98
정진식 ❷ 64
정진영 ❷ 58
정진현 ❷ 392
정진홍 ❶ 98
정진화 ❷ 205, 372
정찬권 ❷ 312
정찬원 ❷ 76
정창원 ❶ 353
정청래 ❶ 27, 28
정춘숙 ❶ 27, 28
정충실 ❷ 249
정충영 ❶ 124, 125, 357
정태신 ❶ 432
정태익 ❶ 139
정태헌(동북아역사재단) ❶ 242, 244
정태헌(고려대) ❶ 260 ❷ 88
정태헌 ❷ 214
정태호 ❶ 27, 28
정하미 ❷ 46, 246, 252
정하영 ❷ 351, 357
정한데로 ❷ 51
정한범 ❶ 133 ❷ 292
정한울 ❶ 180
정해성 ❶ 120
정해인 ❶ 21 ❷ 21
정해창 ❶ 119, 120
정행복 ❶ 120
정향재 ❶ 448, 451 ❷ 45
정향진 ❷ 185
정헌주 ❷ 289
정 혁 ❷ 179
정현규 ❷ 207
정현백 ❷ 195, 196, 198
정현숙 ❷ 44
정현일 ❶ 351
정 형 ❶ 442 ❷ 105, 106 107, 108, 220
정혜경(일제강제동원 · 평화연구회) ❶ 242, 250, 257, 432, 433 ❷ 64, 264, 516
정혜경(세종대) ❷ 37
정혜선 ❶ 95, 440, 441
정혜영 ❷ 83
정혜원 ❷ 250
정혜윤 ❶ 392, 397 ❷ 146, 277
정호근 ❷ 329
정호기 ❷ 168
정호석 ❷ 145
정호섭 ❶ 456
정호원 ❶ 461
정홍원 ❶ 201
정효민 ❶ 349
정효운 ❶ 424 ❷ 33, 265
정 훈(인천대) ❷ 41
정 훈(와세다대) ❷ 168

정희선 1 433, 461
정희순 2 272
정희옥 2 363
정희용 1 27, 28
정희윤 1 433
정희정(도쿄대) 1 441
정희정(한국외대) 2 389
정희천 1 460
조강희 1 357 2 34, 130, 131, 394
조 건(동북아역사재단) 1 241, 250, 257, 433
조 건(고려대) 1 257
조 건(동국대) 1 433
조건호 1 206
조경식 1 408 2 272
조경태 1 27, 28
조경환(경기도) 1 138
조경환(세종연구소) 1 149
조경환(몬티스포츠매니지먼트그룹) 1 273
조경희(성공회대) 1 411, 433 2 112, 150, 187, 188, 189, 190, 191, 192
조경희 2 116
조관자 1 133, 138, 329, 419, 441 2 89, 134, 135, 137, 140, 141, 143, 145, 148, 149, 156, 157, 158, 159, 163, 165, 248, 354, 392, 516
조관행 2 283
조관희 2 352
조 광 1 248
조광걸 1 233
조 국(서울대) 1 424
조 국(성신여대) 1 436, 438
조규하 1 90
조규헌 1 443 2 35, 386
조규현(동북아역사재단) 1 240 2 319
조규현(상명대) 2 273, 386
조규형 1 460
조규환 1 381
조금득 1 373
조기은 1 433
조난곡 1 426
조남성(한밭대) 1 96 2 45, 271, 273, 344, 386
조남성(풍양조씨) 1 119, 120
조대엽 2 58, 328
조대하 2 36
조덕묘 1 21 2 21
조덕영 1 223
조동준 1 130, 220 2 175, 177, 285, 294, 360, 361
조동호(조선시대통신사현창회) 1 116, 119
조동호(국가안보전략연구원) 1 162, 165
조래철 1 444 2 38, 344
조만석 1 124
조만제 1 88
조명균 2 60
조명근(영남대) 2 73, 90
조명한 1 98
조명희 1 28
조무형 2 177
조문수 1 125
조문영 2 359, 366
조미수(풀울림) 1 273
조미수(평화운동가) 2 191
조미혜 2 185

조민재 2 172
조민환 2 203
조배숙 1 36
조병제 1 139
조보근 1 234, 237
조봉기 2 34
조비연 1 198, 237, 395, 457 2 315, 351, 516
조상호 1 182
조석래 1 84, 85
조선영 1 96, 417, 422 2 41, 248, 276
조성두 1 119, 120
조성렬 1 129, 135, 192, 220 2 293, 517
조성범 1 273
조성산 2 198, 203
조성운 1 433
조성원 1 99, 102
조성윤 2 70
조성일 1 334
조성직 1 221
조성태 1 119
조성환 2 248
조성훈 2 279
조세영 1 131, 134, 139, 151, 154, 174, 178, 181, 198, 330, 346 2 87, 119, 121, 142, 148, 162, 517
조세형 1 346
조수미(서울대) 2 181
조수미(명지대) 2 351
조수일(동국대) 1 411, 414 2 71, 113, 117, 263, 346
조수일(도쿄대) 2 112
조수진 1 27, 28
조수형 1 124
조숙정 2 185
조승미 2 267
조승연 1 412
조시현 2 214
조시희 1 324
조 심 1 88
조아라(국립외교원) 1 21, 136, 137, 397 2 21
조아라(서울대 일본연구소, 문화관광연구원) 1 397 2 134, 135, 138, 147, 151, 161, 162, 166, 205, 353
조양기 2 183
조양현 1 21, 129, 131, 133, 134, 135, 136, 137, 143, 145, 170, 174, 192, 194, 197, 198, 208, 209, 212, 313, 391, 397, 402, 404, 405 2 21, 92, 101, 103, 104, 141, 150, 162, 164, 313, 362, 517
조 엄 1 116, 120
조연주 2 376
조영관 2 191
조영남(고려대) 1 408, 410, 421, 422, 451 2 29, 84, 262
조영남(서울대) 2 179, 363
조영미 1 433
조영석 2 42
조영수 1 288
조영숙 1 132
조영철 1 88
조영호(동의대) 2 33, 272

조영호(서강대) 2 283
조영희 2 56
조용란(동양미래대) 2 225
조용란(상지대) 2 226
조용란(중앙대) 2 228
조용래 1 21, 46, 129, 144, 316, 324, 410 2 21, 248, 250, 517
조용병 1 56, 84 2 144
조용호 2 59
조용휘 1 21 2 21
조원득 1 134
조원빈 2 203
조원태 1 84
조유미 1 409 2 69, 72, 259
조윤수 1 21, 241, 242, 249, 250 2 21, 518
조윤영 1 148, 269
주윤재 1 382
조 은 1 98
조은미 2 342
조은애 2 38
조은영 1 449, 452 2 34, 272, 276, 357
조은일 1 134, 135, 138, 158, 160, 161, 173, 175, 396, 399, 403, 404 2 88, 146, 291, 518
조은정 2 174, 296, 297
조응천 1 28
조의행 1 233
조인성 1 244
조인희((주)제오빌더) 1 386
조인희(연세대) 1 426
조재국 2 211
조재욱 2 60, 293, 295, 311
조재홍 1 93
조정관 2 285, 328
조정남 1 98
조정민(고려대) 1 408
조정민(부경대) 1 412, 421, 431, 450 2 69, 71
조정민(부산대) 2 137
조정선 1 284
조정식 1 27, 28
조정우(한림대) 2 55
조정우(경남대) 2 392
조정현(국립외교원) 1 96
조정현(통일연구원) 1 198
조정훈 1 27, 28
조종엽 1 105
조주희(성신여대) 1 410
조주희(고려대) 2 70
조준희 1 324
조중표 1 139
조중호 1 88
조중훈 1 88
조진구 1 133, 138, 160, 165, 173, 232, 404, 406, 431, 432 2 60, 63, 64, 143, 263, 337, 518
조진희 1 353
조창범 1 220
조창화(한국체대) 1 93
조창화(LG그룹) 1 99
조춘범 1 353
조치영 2 34
조탄제 1 357

조태영 1 250, 251 2 519
조태용 1 27, 28, 178, 179, 220, 235, 236, 237, 250, 329, 336 2 519
조한범 2 310
조한승 2 294, 340
조항래 2 226
조헌구 1 448, 450 2 28, 274
조 현 1 37
조현상 1 205, 308
조현석 1 158
조현석(서울과기대) 2 175
조현우 2 89
조현재 1 324
조현정 1 438 2 145, 156, 355, 356
조현준 1 77, 84, 269, 324
조형근 2 111
조형제 2 147
조형진 1 177, 179
조혜란 2 215
조혜숙(한영알미늄) 1 74
조혜숙 2 108
조혜진 1 451
조홍민 1 284
조홍식 1 207
조홍제 1 88
조환복 1 251
조희경 2 201
조희용 1 21, 137, 138, 145, 400 2 21, 446, 519
종추월 2 79
좌혜경 2 180, 181
주경미 2 350
주경효 1 88
주대석 2 114
주 란 2 334
주미애 2 203
주성산 1 260
주성재 2 102
주성하 1 210
주송하 2 177
주승용 1 36
주영산 1 386
주영재 1 273
주영정 1 94
주영하 2 181, 182
주예나 2 289
주 완 1 329
주요한 2 236
주용찬 1 386
주익종 2 144, 214
주재우 1 135, 235, 237 2 67
주재형 2 108
주정숙 2 330
주준희 2 64
주진영 2 393
주철기 1 269
주 현 1 329
주현숙 1 408
주혜정 1 432 2 113, 220
주호영 1 27, 28, 49
지명관 1 93, 107 2 84, 233, 242, 520
지명훈 1 21 2 21
지상욱 1 35, 37, 38, 47 2 520
지영미 1 177, 179

지영임 2 73
지은숙 2 134, 139, 157, 166, 185
지은희 2 169
지정일 1 91
지주형 2 338
지충남 1 461
지현숙 1 353
지호순 2 244
지효근 2 289
진남택 2 246
진덕규 1 98
진미경 1 179
진선미 1 28
진성재 1 89
진영순 2 39
진예은 2 217
진옥동 1 56, 324
진용선 1 97
진은숙 2 42
진재교 2 203
진창수 1 15, 16, 17, 21, 92, 130, 131, 132, 140, 143, 144, 145, 146, 147, 148, 149, 150, 151, 152, 173, 179, 192, 198, 268, 269, 270, 308, 390, 392, 399, 401, 404, 405 2 15, 16, 17, 21, 120, 142, 208, 284, 285, 437, 520
진창현 2 117
진필수 2 134, 135, 136, 137, 140, 143, 166, 183
진행남 1 199
진휘연 1 99
진희관 1 460 2 288

차기벽 1 405
차동엽 1 288
차미경 2 207
차미선 1 75
차병석 1 21 2 21
차병섭 1 158
차승기 2 89, 187, 188, 189, 191, 192
차아름 1 393
차은정 1 392
차재복 1 133, 394
차정미 1 210 2 173, 174, 175
차진명 1 349
차창훈 2 299
차철욱 2 131
차학경 2 323
차학봉 1 284
차혜원 2 317
채경훈 2 116, 117
채경희 2 247
채성식 1 353, 408, 412, 421, 422 2 29, 262, 332, 333
채수도 1 446 2 28
채수홍 2 171, 185
채수환 1 284
채승식 2 84
채승우 1 84
채 욱 1 208
채재병 2 173, 174, 175, 294
채희영 1 158
천경효 2 168

천광암 2 521
천병태 1 124
천선미 1 451
천영우 1 236, 237, 329 2 92
천자현 1 133, 392, 393, 394, 406, 457 2 380, 521
천정환 2 203
천 진 2 172
천현득 2 144
천호재 2 29
최가영 1 398 2 153, 166
최가진 2 220
최가형 1 421 2 271
최 강 1 143, 147, 149, 167, 169, 269
최건식 2 34
최경애 1 119
최경옥 2 394
최경원 1 135, 210, 274
최경주 2 74
최경한 1 92, 98
최경희 1 21, 210, 232, 233, 395 2 21, 172, 521
최계환 1 283
최고은 1 414 2 113
최 관 2 76, 219
최광수 1 308
최광준(신라대) 1 124, 125 2 38
최광준(경희대) 2 67
최광해 1 329
최광호 2 40
최규진 2 196
최금영 2 215
최금좌 1 460
최기영 2 289
최기형 1 421
최낙범 2 59
최낙훈 1 261
최남선 2 90, 234
최대석 2 340
최대화 2 30
최덕규 1 241, 249
최덕철 2 59
최덕효 2 268
최동녘 1 386
최두고 1 88
최 명 1 98
최명길 1 179
최문희(구마모토현립대) 1 451
최문희(서울대) 2 172
최민경(부경대 등) 1 397 2 135, 154, 166, 390, 521
최민경(동서대) 2 101
최민혁 1 437 2 270
최범순 1 119, 451 2 39, 116, 324
최병렬 1 99, 223
최병일 1 329
최병헌 1 91
최병호 1 208
최보식 1 99
최보영(동국대) 1 424
최보영(단국대) 1 456 2 107, 109
최봉태 1 258, 259, 330, 334 2 120, 124, 522
최삼섭 1 339

최상결 1 57
최상구 2 191
최상명 2 213
최상용 1 46, 47, 90, 92, 134, 170, 177, 179, 329, 331, 333, 335, 336, 337, 402 2 164, 522
최상진 1 124
최서리 1 461 2 282
최서면 1 58, 299 2 122, 157, 159, 164, 279
최서영(경향신문) 1 283
최서영(숭실대) 1 450
최서영(한국외대) 2 230, 231, 274
최서해 1 349
최석영(법무법인 광장) 1 306, 308
최석영(국립민속박물관) 2 182, 184
최석완 1 438 2 32
최석원 2 107
최석의 1 433
최선경(한림대) 2 243
최선경(북한대학원대) 2 328
최성곤 2 231
최성백 1 451
최성실 2 51
최성천 1 121, 123, 124
최송화 1 98
최수나 2 45
최수빈(고려대) 2 250
최수빈(한국국방연구원) 2 289
최수영 1 98
최순달 1 152
최순애 1 433
최순육 1 409 2 36, 385
최순자 1 421
최승은 2 106, 107, 109, 343, 344
최승환 1 248
최승희 2 334
최시은 1 178
최 실 2 113
최아름 1 273
최아진 2 299
최양일 2 116, 220
최연숙 1 28
최연자 1 74
최연주(신라대) 1 407
최연주(동국대) 1 413, 421 2 117
최연주(동의대) 1 443 2 271
최연희 2 34
최영규 2 59
최영대 1 386
최영란 2 348
최영미(경기도여성가족재단) 1 461 2 282
최영미(전남대) 2 283
최영민 1 99
최영숙((주)오륜) 1 75
최영숙(충남대) 2 43
최영종 2 90
최영준 2 67
최영진(외무부) 1 139
최영진(경희대) 1 455 2 67
최영호 1 133, 256, 259, 393, 397, 428, 432, 433, 460 2 39, 141, 145, 264, 342, 522
최영환 1 353

최완규 1 98, 134, 270 2 58
최완복 1 138
최용성 1 285
최용주 2 361
최용호 2 176
최용환 1 165 2 296, 297
최우각 1 84
최우길 1 460
최우선 1 129, 135, 145, 235, 237
최우영 2 103, 104
최우용 1 353
최운도(동북아역사재단) 1 131, 148, 173, 193, 269, 393, 394, 400, 404, 405 2 298
최운도(연세대) 2 293
최운상 1 89
최운열 1 37
최운지 1 61
최원기 1 134
최원석 1 285
최원오 2 89
최원오(광주교대) 2 108
최원재 2 36
최 유 1 346
최유경(서울대) 2 225
최유경(동덕여대) 2 388
최유미 2 226
최 윤 1 324
최윤영 2 165, 206
최윤정 2 231
최윤정(연세대) 2 380
최율기 1 415
최은경 2 386
최은미 1 15, 17, 21, 131, 134, 135, 137, 141, 149, 151, 167, 168, 173, 313, 396, 397, 401, 403, 404, 406, 409 2 15, 17, 21, 100, 101, 146, 150, 153, 249, 257, 258, 300, 351, 390, 523
최은봉 1 130, 138, 391, 393, 394, 395, 396, 397, 400, 405 2 263, 277, 390, 523
최은석 2 59
최은영(인천대) 2 41
최은영(충남역사문화연구원) 2 267
최은정 2 331
최은주 2 374, 389
최의지 1 381
최이락 1 251
최이진 2 299
최익현 2 281
최인철 2 179
최인택 1 357 2 33, 184
최인한 2 523
최 일 1 94
최자명 1 436, 438
최장근(제주평화연구원) 1 197
최장근(대구대) 1 433, 446, 447, 449, 452 2 31, 273, 276
최재목 1 419, 442 2 246, 248, 250, 270, 338, 347, 392, 394
최재서 1 411
최재석 2 184
최재성(국회의원) 1 248

최재성(수원대) 1 432 2 263
최재준 2 51
최재철 1 15 2 15, 232
최재혁(서울대) 2 138, 356
최재혁(성신여대) 2 145
최재혁(한국근현대미술사학회) 1 409 2 56, 73
최정기(전남대) 1 353
최정기(충남대) 1 448
최정범 2 316
최정섭 2 54
최정우 1 84
최정원 2 211
최정윤 2 387
최정은 2 226, 227
최정준 1 456, 457
최정호(연세대) 1 90, 91, 98
최정호(경남대) 2 58
최정희 1 410
최종건 1 315 2 298, 362
최종고 1 93
최종길 1 437 2 188, 265, 270
최종문 1 319, 324 2 523
최종민 2 350
최종성 1 352 2 349
최종수 1 283
최종일 1 108
최종태 1 39, 60
최종현 1 177, 224, 225, 226, 228, 229, 230
최주성 1 350, 351
최준영 2 299, 380
최준호 1 447 2 42, 224
최중락(중앙대) 1 446
최중락(한국방송예술원) 2 226
최지수 1 408
최지영 2 288
최지윤 1 381
최진백 1 134 2 177
최진석 2 132
최진우 1 170
최진욱 1 155
최진주 1 286
최진환 2 328
최진희(부산시) 1 273
최진희(백석문화대) 1 450, 451
최창완 2 26, 108
최창용 2 292
최창행 1 351
최철영 1 456
최철원 1 179, 182
최충희 2 44, 232
최치환 1 88
최태강 1 98, 456
최태섭 1 88
최태양 1 124
최태연 1 57
최태욱 1 179 2 340
최태원 1 84, 179, 224, 225, 226, 227, 228, 229
최태지 1 108
최태화(군산대) 1 448, 450
최태화(광운대) 2 247
최택호 2 39
최한영(현대자동차) 1 205, 206

최한영(일제강제연행한국생존자협회) 1 262
최해옥 1 138
최현수 1 147
최현아 2 328
최현정 1 200
최현진 2 275
최형섭 2 147, 353
최호근 2 168
최호영 2 134, 162, 166, 346
최희갑 2 208, 209
최희식 1 17, 21, 131, 135, 136, 173, 192, 194, 198, 212, 232, 261, 270, 273, 306, 308, 353, 390, 392, 393, 394, 395, 397, 398, 403, 404 2 17, 21, 30, 100, 103, 140, 142, 146, 150, 162, 341, 362, 363, 524
추경호 1 28
추규호 1 130, 132, 133, 138, 312, 313, 314, 315, 317 2 524
추미애 1 47, 207
추석민 1 433 2 38, 116, 273, 347
추성칠 1 88
추장민 1 148 2 204

쾨펠 연숙 2 115

탁성숙 2 26, 51
탁진영 2 342
태영호 1 28

팽 정 2 338
팽준호 1 221
편무진 1 452
편용우(전주대) 1 411, 421, 447, 450 2 42, 107, 207, 247, 343
편용우(고려대) 2 227
표광민(동아시아연구원) 1 182
표광민(서울대) 2 177
표민찬 1 353
표세만 2 30, 116, 220, 324
표승진 2 298
표시연 2 207
표영수 1 433
표인주 2 111
표정옥 1 353
피석희 2 231

하규빈 1 392
하남석 2 338
하도형 1 456 2 87
하상일 2 69, 71
하소정(서울여대) 1 407, 417
하소정(동국대) 2 394
하숙경(부산한일문화교류협회) 1 124, 125, 357
하숙경(부산외대) 2 35
하승빈 2 232, 387
하승철 1 258
하승현 1 433
하영봉 1 325
하영선 1 165, 173, 174, 176, 177, 179, 181 2 176
하영제 1 28
하용출 1 130 2 176
하우봉 1 94, 119, 426, 427, 429, 442

한승동 2 71
한승미 1 96, 97, 98, 102, 461 2 87
한승수 1 201
한승완 2 297
한승주 1 202, 331, 332 2 93, 340
한아름 2 393
한영구(외교안보연구소) 1 91
한영구(중부대) 1 93
한영균 2 35, 330
한영우 1 98
한영혜 1 95, 131, 133 2 134, 135, 142, 144, 149, 162, 163, 165
한영화 2 197
한예원 2 270
한용란 1 75
한용섭 2 89
한용준 2 337
한용진 1 422
한원형 2 343
한유동 1 138
한유진 1 200
한의석 1 21, 131, 138, 390, 393, 394, 396, 400, 401, 402, 406 2 21, 204, 205, 277, 372, 379, 525
한인섭 2 139
한인택 1 197, 199 2 174, 294
한재호 1 150
한정미(단국대) 2 105, 106
한정미(조치대) 2 109
한정선(부산대) 1 96, 411 2 34, 262, 346
한정선(고려대) 1 395, 438 2 145, 146, 160, 162, 166, 354, 356
한정선(동국대) 1 417, 432 2 113
한정선(저술, 번역 등) 2 56, 116, 117, 218
한정연(한양대) 2 244
한정연(서울대) 2 259
한정훈 2 111, 179, 363
한주성 2 311
한 준 1 182
한준호 1 28
한중구 1 259
한중선 2 40
한지명 2 136
한지연(아주경제신문) 1 135
한지연(교토대) 1 381
한창우 1 61 2 112, 117
한채민 1 409 2 332, 393
한철호 1 94
한태규 1 139, 197
한태문 1 119, 357 2 131
한현석 1 446
한형주 2 67
한혜인 1 130, 132, 133, 250, 258, 259, 395, 433 2 54, 188, 189, 250, 525
한혜진 1 269
함동주 1 170 2 356
함방자 1 74
함석재 1 99
함승경 2 207
함재봉 1 98, 170
함채원 1 317 2 525
함충범(한양대) 1 409
함충범(고려대) 2 351
함택영 2 58, 59, 62, 63

함화진 2 236
허경만 1 110
허경진 1 97, 119
허경희 2 33
허 곤 1 451 2 386, 393
허광무 1 250, 432, 433 2 112, 232, 526
허남기 2 261
허남린 1 94, 442
허남춘 1 353
허동한 2 249
허동현 1 244 2 67
허만영 1 259
허 석 2 219
허선주 1 273, 382
허성순 1 284
허성태 1 461 2 281, 282
허성필 1 159 2 291
허세홍 1 179
허수열 2 201
허신혜 2 183
허영란(울산대) 2 320
허영란 2 214
허영은 2 31, 204
허오영숙 2 191
허용도 1 339
허용수 1 227
허용호 2 111
허우성 1 442 2 108
허원순 1 131, 135, 136
허원영 1 173, 404
허 윤(이화여대) 1 346
허 윤(부경대) 2 151
허은아 1 28
허의진 1 351
허재영 2 107
허재철 2 175
허재필 1 451
허점숙 1 414
허정구 1 88
허정명 2 74
허정원 2 172
허 종 2 338
허지애 1 448
허지은 1 422, 425, 428, 437 2 265, 342
허지향 2 267, 269
허진수 1 84
허창수 1 84
허태회 2 292
허필석 1 88
허현정 2 227
허 호 2 38
허황회 1 452
헬렌 리 2 164
헬렌 리(연세대) 2 187
현기순 2 205
현대송 1 133, 173, 357, 391, 392, 404
2 104, 142, 526
현명관 1 318
현명철 1 242
현명철(서울대) 1 425, 426, 427
현무암 2 82, 189
현석원 1 138
현승수 1 165
현영미 1 444 2 128

현영민 2 217
현영원 1 88
현오석 1 134
현인택 1 223 2 87, 88, 93, 315, 340
현제명 2 236
현주미 1 325
현진덕 2 27
현진호 1 433
현홍주 1 99
현희련 1 272, 273
형진의 1 446, 447, 450
형철우 1 273
혜 초 1 263, 264
호사카 유지 1 95, 146, 211, 259, 456
2 219, 250, 331, 344
홍강일 2 217
홍건식 2 295, 296
홍건식(중앙대) 2 379
홍계희 1 426
홍규덕 1 329, 330, 334, 337 2 92, 174, 340
홍기삼 2 116
홍대순 2 379
홍동현 2 73
홍리나 2 348
홍명근 1 273
홍명희 2 67
홍 민 1 210
홍민표 2 29, 74, 386
홍민희 2 227
홍백의 2 359
홍봉기 1 119, 120
홍상진 1 433
홍석준(국회의원) 1 28
홍석준(목포대) 2 373
홍석찬 1 262
홍석현 1 328, 331, 332, 336
홍석호 1 119, 120
홍선영(충남대) 1 440
홍선영(한림대) 2 236
홍성곤 2 115
홍성근 1 240, 244, 248 2 317, 319
홍성덕 1 427 2 246
홍성목 1 446, 447 2 40
홍성원 1 99
홍성익 1 116
홍성준 1 440 2 106, 107, 108, 109, 344
홍성화 1 97, 244,고 410, 415, 427, 438
2 266, 333
홍수경 2 218
홍숙자 1 63
홍순재 1 119
홍순희 2 74
홍승권 1 159
홍승제 1 205
홍승찬(서울대) 1 92
홍승찬(한예종) 1 96
홍영선 1 119
홍영숙 1 262
홍영주 2 231
홍예원 1 182
홍용진 2 55
홍용표 1 202, 456
홍용희 1 88

홍우식 [1] 116, 119
홍유라 [1] 381
홍윤식 [2] 116, 117
홍윤신 [2] 170
홍윤표 [2] 37, 87
홍은정 [2] 87
홍은희 [1] 286
홍익표(한일협회) [1] 88
홍익표(국회의원) [1] 179
홍인숙 [1] 433
홍재선 [1] 76
홍정국 [1] 78
홍종우 [2] 196
홍종욱(서울대) [1] 130 [2] 88, 89, 354
홍종욱 [2] 214
홍종현 [2] 295
홍종호 [1] 130
홍준표 [1] 27, 28
홍준호 [1] 99
홍지연 [1] 308
홍지영 [2] 211
홍지원(성신여대) [1] 382
홍지원(고려대) [1] 386
홍진희 [2] 27
홍찬식 [1] 99
홍채식 [1] 61
홍태영 [2] 280
홍태한 [2] 111
홍현익 [1] 139, 151 [2] 213
홍형택 [1] 206, 207
황경자 [2] 45
황광길 [2] 108
황광석 [1] 460
황교안 [1] 202
황금추 [1] 119
황기식 [1] 353
황기우 [2] 55
황달기 [1] 94 [2] 331
황동규 [1] 98
황동연 [2] 334
황 량 [1] 120
황무석 [1] 119
황미옥 [2] 218
황민주 [1] 120
황민호 [1] 433
황민환 [1] 120
황백현 [1] 443
황병기 [1] 91
황병연 [1] 119
황보강자 [1] 277
황보명 [1] 258
황보승희 [1] 28
황복순 [1] 120
황봉모 [2] 386
황산성 [1] 63
황선익 [1] 260 [2] 104
황선조 [1] 423
황성기 [1] 136, 209 [2] 526
황성빈 [1] 323 [2] 135, 143
황성하 [1] 446, 447
황세희 [1] 131, 403, 406 [2] 527
황소연 [2] 27, 338, 344
황수현 [2] 67
황승환 [1] 119

황연하 1 120
황영만 1 278
황영식 1 130, 131, 179, 208, 308, 314, 315, 317, 319, 527
황영주 2 360
황영치 2 116
황용섭 1 426
황우여 1 44
황 운 1 450
황운하 1 28
황원석 1 119
황윤실 2 272, 343, 385, 387
황은아 1 386
황은영 1 425, 426
황의지 1 120
황익구(청암대) 1 431, 440 2 113, 263
황익구(경남대) 1 432 2 264
황익주 2 185, 368
황인세 1 119
황인원 2 373
황인자 1 179
황일도 1 134, 135, 136, 149, 210, 235, 237 2 292
황장효 1 119
황재석 1 120
황재하 1 117, 118, 119, 120
황재호 1 130, 134
황정덕 1 246
황종길 1 58, 59, 60
황종률 1 88
황종원 2 107, 108
황주리 1 99
황준호 2 329
황지환 2 91, 92, 174, 283, 338, 380
황진욱 1 119
황진태 2 172
황철주 1 331
황칠성 1 337
황태원 1 119
황필주 1 120
황현우 1 349
황현이 1 132
황혜경 2 114, 249
황혜선 2 155
황호균 1 84
황호덕 2 143, 203
황홍근 1 98
흥선대원군 2 196

# 한자명

姜盛文(강성문) 2 260
康志賢(강지현) 2 344
高橋修(고교수) 2 335
高榮蘭(고영란) 2 260
金錦善(김금선) 2 274
金東炫(김동현) 2 260
金普慶(김보경) 2 335
金碩禧(김석희) 2 260
金昭喜(김소희) 2 260
金蓮玉(김연옥) 2 261
金孝順(김효순) 2 335
朴京娫(박경연) 2 347
朴仙炅(박선경) 2 384
朴志薰(박지훈) 2 335
安志英(안지영) 2 261
嚴仁卿(엄인경) 2 335
吳采賢(오채현) 2 261
元裕璟(원유경) 2 261
李京哲(이경철) 2 261
李敏姬(이민희) 2 335
李榮鎬(이영호) 2 335
李在鎬(이재호) 2 388
李熙明(이희명) 2 348
張赫宙(장혁주) 2 342
韓培浩(한배호) 2 257
許南麒(허남기) 2 261

# 외국인 인명

## 한글명

가나구리 시조 2 353
가나모리 가쓰오 1 374
가나세키 다케오 2 78
가나스기 겐지 2 121
가나야마 아키오 2 225
가나이 마사아키 1 147
가나즈 히데미(리쓰메이칸대) 1 353, 433
2 333
가나즈 히데미(고려대) 1 433
가네다 다이 1 357
가네코 루리코 2 30
가네코 다카오 1 381
가네코 후미코 2 113
가노 다케히로 2 121
가도자키 신야 2 93
가루베 다다시 1 170
가리마타 게이치 2 221
가마쿠라 쇼게이 2 275
가메다 히로시 2 113
가메야마 유리코 1 374
가미가이토 겐이치 2 112
가미벳푸 마사노부 2 36
가미야 가즈히로 1 351
가미야 다케시 1 132, 313, 324, 403
가미야 마타케 2 63
가세다 요시노리 1 137
가스가이 모에 1 354
가스가 잇코 1 44
가시오 나오키 1 353
가쓰 가이슈 2 196
가쓰기 규진 2 343
가쓰라 다로 2 196
가쓰라지마 노부히로 1 353, 410 2 259
가쓰무라 마코토 2 270
가와구치 게이코 1 417, 422 2 38
가와구치 기요후미 1 108
가와구치 다카유키 2 80
가와구치 슌 1 381
가와나베 교사이 2 247
가와다 노보루 2 59
가와데 요시에 2 167, 168
가와라 쓰토무 1 45
가와마타 도시노리 1 353
가와무라 기요시 2 220
가(카)와무라 다케오 1 30. 35, 36, 39, 45,
57, 58, 59, 61, 62, 322
가와무라 미나토 2 219, 347
가와무라 하지메 2 72
가와바타 야스나리 1 414, 419 2 81
가와베 세이카 1 381

가와부치 사부로 1 108
가와세 다카야 1 352 2 349
가와세 에마리 2 155
가와시마 마코토 2 140, 148
가와시마 신 2 251
가와카미 미에코 1 448
가와카쓰 헤이타 1 347
가이세 아키히코 1 208, 209
가이에다 노부요시 2 145
가이즈미 게이코 1 352 2 349
가이코 다케시 2 330
가이후 도시키 1 201
가자마키 히로시 2 183
가지모토 노리히코 1 110
가지무라 히데키 2 89
가지와라 다쿠 1 110
가케이, 야마모토 2 386
가키모토 다에코 1 273
가타야마 요시히로 1 110
가타 오카류 1 353
가토 가쓰노부 2 455
가토 게이키 1 353
가토 기요후미 1 353 2 87
가토 나오키 1 273
가토 다카아키 2 196
가토 다케시 2 69, 150, 158
가토리 나히코 2 330
가토 마사히코 1 78
가토 무쓰키 1 45
가토 소타 1 208
가토 요이치 1 134
간 나오토(간 담화) 1 29 2 119
간디 2 358
간무 2 389
간여운 1 408
간 히데키 1 130, 312 2 152
갈계용 2 167
거빈스 2 196
게르하르트 슈뢰더 1 202
겐나지 랴브코프 1 57
겐조 데이지 1 353
겐코 히로아키 1 96, 407, 420, 422 2 30
고가쿠 2 176
고갱 2 129
고네에 아쓰마로 2 196
고노(고노 요헤이, 고노담화) 1 30 2 449, 459, 460
고노 겐(켄)스케 2 201, 202
고노 나쓰코 2 28
고노 슌지 1 58
고노시 다카미쓰 2 200
고노 유리 1 170
고노카미 마코토 1 226, 229
고니시 마코토 2 230
고다마 겐타로 1 349
고다 세이만 2 58, 59
고다 요지 1 177, 178
고다이고 2 330
고든 플레이크 1 168
고레나가 가즈오 1 78, 306
고로야스 도시로 1 324
고마쓰 가즈히코 2 219, 220, 247, 251
고마쓰 나나 1 412 2 29, 261
고마쓰다 요시히로 2 166

고마쓰 아사미 2 220
고마키 데루오 2 58, 60
고모리 요이치 2 113
고무라 마사히코 1 134
고무라 주타로 2 196
고미나미 히로키 2 54
고미부치 노리쓰구 2 81
고미 요지 2 61
고바야시 나오히토 1 19, 316, 372 2 19
고바야시 다카유키 2 324
고바야시 다키지 2 386
고바야시 도모코 1 432
고바야시 레이코 1 433
고바야시 마나에 1 349
고바야시 마사야 1 168
고바야시 소메이 1 199
고바야시 시게루 1 381
고바야시 신고 1 272, 273
고바야시 요시아키 1 353 2 119, 124
고바야시 유타카 1 206
고바야시 이치로 2 390
고바야시 후미코 2 108, 246
고바야시 히사토모 1 249, 258
고보리 모토무 1 375
고보리가와 2 139
고사가 2 139
고쇼 다다시 1 433
고시라카와 2 387
고시로 아키코 2 45
고야 요시오 2 346
고야 준코 2 225
고이데 미노루 2 62
고이데 소이치 1 408
고이데 히로키 1 312
고이즈미 준이치로 1 82, 83, 109, 296 2 263, 284, 449
고이케 마리코 2 275
고자와 야스노리 2 231
고조 요시코 1 173
고지마 가즈키 1 381
고지마 겐지 1 407 2 34
고지마 아키라 1 206 2 79
고지마 야스노리 1 442 2 246
고촉동 1 202
고치 유이 1 381
고쿠분 료세이 1 206, 306
고쿠쇼 가즈미 1 407, 413, 417, 421 2 32
고키덴노뇨고 2 106
고타니 데쓰오 1 135, 136
고토 신페이 2 182
고토 아유미 2 45
고토 유코 2 332
고토 진 2 59
고토 히토시 2 59
고하리 스스무 1 78, 79, 108, 269, 305, 306, 352 2 140, 149, 349
고하마 쇼헤이 2 250
곤도 미즈키 2 247
곤도 세이치 1 177
곤도 쇼이치 1 206
공자 2 54
공커위 2 87
곽양춘 1 322
괴테 2 55

구가 가쓰난 ❷ 235
구누기 에나 ❶ 349
구니사와 사토미 ❷ 275
구도 게이 ❶ 374, 375
구도 야스시 ❶ 172, 176, 177, 182, 188
구도 에리코 ❷ 44
구도 준이치 ❷ 161
구라모토 유키 ❶ 108
구라바야시마 사토 ❶ 353
구라사키 미토 ❷ 27
구라치 아케미 ❷ 76
구라타 루미코 ❶ 353
구라타 히데야 ❶ 150, 270 ❷ 63, 93, 103
구라하시 유미코 ❷ 369
구로다 가쓰히로 ❶ 137, 269, 346 ❷ 120
구로다 세이치로 ❶ 282
구로다 아쓰호 ❶ 348
구로다 요코 ❷ 129, 130
구로사와 스스무 ❷ 161
구로카와 에쓰코 ❷ 81
구로키 료지 ❶ 448, 451 ❷ 32
구리야마 유스케 ❷ 79
구리타 루미코 ❶ 353
구마 겐고 ❶ 225
구마오 사야 ❷ 80
구몬 다카요시 ❷ 59
구보다 (간이치로) ❶ 409
구보다 루리코 ❶ 150, 270
구보 아쓰히코 ❷ 58, 59
구보 지하루 ❶ 338, 345
구보타 아키코 ❶ 105
구보 후미아키 ❷ 123
구사노 모토오 ❶ 353
구사카 가즈마사 ❶ 207, 208
구스노키 마사시게 ❷ 332
구양옥 ❶ 273
구오 루이 ❷ 334
구와바라 유코 ❷ 129, 130
구와바라 지쓰조 ❷ 197
군조 ❷ 113
궈렌유 ❷ 246
궈리신 ❷ 78
그람시 ❷ 187
그레이엄 앨리슨 ❶ 202
그웬 브 퀸 뉴 ❷ 81
글로리아 마파카발 아로요 ❶ 201
기구치 다케히로 ❶ 353
기다 유스케 ❶ 349
기도 히데키 ❷ 208
기라 요시나카 ❶ 91
기무라 간 ❶ 147, 149, 269, 270, 310, 353, 400
기무라 겐지 ❶ 433
기무라 노리코 ❶ 108
기무라 다카시 ❶ 312
기무라 모리오 ❶ 110
기무라 슈헤이 ❷ 153
기무라 아키라 ❶ 415 ❷ 71
기무라 이사오 ❶ 110
기무라 후쿠나리 ❶ 207
기미시마 가즈히코 ❶ 93
기미시마 시게타 ❶ 133
기미야 다다시 ❶ 129, 132, 134, 232, 313, 314, 331, 333, 353 ❷ 101, 102,

137, 148, 150, 164
기바 다카토시 [1] 419 [2] 247, 248
기시 노부스케 [1] 54, 174 [2] 89, 249, 388
기시다 후미타카 [2] 246
기시 도시미쓰 [2] 123
기시에 신스케 [1] 353
기쓰가와 도시타다 [2] 59
기온 난카이 [2] 393
기요스에 모모 [1] 349
기즈 유코 [1] 353
기치타노무라지 [1] 424
기카이 히로유키 [1] 102
기쿠(구)치 간 [2] 83, 236
기쿠치 겐 [1] 374
기쿠치 세이지 [2] 39
기쿠치 쓰토무 [1] 130
기쿠치 유지 [1] 147
기쿠치 유지로 [1] 268
기타 가나 [1] 348
기타무라 시게루 [1] 35
기타무라 와타루 [2] 208
기타시라 가와노미야 [2] 334
기타우치 다이토 [2] 28
기타자키 슈이치 [1] 110
기타카타 겐조 [2] 80
기타하라 다케오 [2] 335
긴스이 사토시 [2] 129
깃카와 겐 [1] 147, 148, 150, 268, 269, 270, 353
꿔리엔유우 [2] 226

나가노 아키 [2] 34
나가모리 미쓰노부 [2] 246
나가모리 요시타카 [1] 147, 268
나가미네 야스마사 [1] 37, 38, 57, 58, 202, 305, 320, 326, 330, 331 [2] 123, 124, 251
나가사와 준이치 [1] 110
나가시마 노리코 [1] 408 [2] 27
나가시마 아키히로 [2] 108
나가시마 히로아키 [2] 108, 344
나가야마 야스노리 [1] 165
나가에 쓰네히로 [1] 444
나가오카 도루 [2] 100
나가오카 류사쿠 [2] 344
나가이 고시로 [1] 381
나가이 신페이 [2] 80, 82
나가자와 시게루 [1] 434
나가타 유키 [1] 408 [2] 394
나가하라 나리카쓰 [1] 96, 443
나구모 유타 [1] 272, 274
나라 가쓰지 [1] 346
나라사키 마사히로 [1] 102
나루히토 [1] 130, 337 [2] 176
나리카와 아야 [1] 411 [2] 113, 124, 341
나무라 다카히로 [1] 135, 136, 137
나미가타 쓰요시 [2] 78, 162, 334
나미하라 쓰네오 [2] 171
나베시마 [1] 436
나쓰메 소세키 [1] 94
나오키 [2] 117
나이토 게이타 [2] 54
나카가와 가즈오 [1] 62
나카가와 게이타 [1] 272, 274

나카가와 시게미 2 79
나카가와 유카리 2 129
나카네 다카유키 2 78, 80, 81, 333
나카노 고이치 2 150, 164
나카노 노리코 2 192
나카노 도모아키 1 124, 125
나카노 도시오 2 189
나카 노리오 2 88
나카노 시게하루 1 410 2 261
나카노 아야코 2 81
나카니시 신타로 1 374
나카니시 이노스케 2 83, 113
나카니시 히로시 1 129, 173, 174, 175, 211, 401
나카니시 히로아키 1 225, 227
나카다테 유키 2 42
나카무라 도라아키 2 162
나카무라 마사나오 2 101
나카무라 모모코 2 46
나카무라 슈야 1 428
나카무라 아키히로 1 132, 135, 136
나카무라 야에 2 44, 231
나카무라 유리 1 412, 422 2 41, 384
나카무라 유스케 1 374
나카무라 지헤이 2 81
나카소네 야스히로 1 54, 206 2 263, 458, 464
나카스 미오 1 353
나카야마 겐지 2 60
나카야마 도시히로 1 210
나카야마 야스노리 1 150, 270
나카야마 히로오 2 183
나카에 쓰네히로 1 444
나카오 가쓰미 2 184
나카이 세이이치 2 386
나카이 요자부로 1 241
나카이 유키 2 78
나카자토 료헤이 2 225
나카자토 이사오 2 71
나카지마 겐지 2 162
나카지마 겐타로 1 134, 137, 209, 320
나카지마 미치오 2 59
나카지마 세이오 2 88
나카지마 시노부 2 31
나카지마 아쓰시 1 413 2 346
나카지마 유키히로 1 348
나카치 기요시 2 183
나카타니 겐 1 180
나카타 미쓰노부 1 249
나카타 히데오 1 411
나카토미 신노스케 1 382
나카토 사치오 1 135, 149, 270
나카하라 마사토 2 348
나카하라 미치코 1 247 2 169
나카하라 츄야 1 417 2 269
나카후지 히로히코 2 66
난바 에미 2 226
네가와 사치오 2 222
네고로 유키 1 410, 417 2 37, 79
노가미 야스오 2 229
노가미 야에코 2 78
노가와 다카시 2 269
노구치 에이스케 2 348
노기 가오리 1 433

노다 다카히로 ■2 29
노다 사토루 ■2 83
노다 요시히코 ■1 192, 393 ■2 120, 458
노로브냡 ■2 105, 106
노마 히로시 ■2 201
노무라 시게하루 ■2 384
노무라 신이치 ■2 222
노무라 히로시 ■2 37
노부유키 마사카즈 ■2 161
노요리 료지 ■1 125
노자키 아야카 ■1 382
누카가 후쿠시로 ■1 35, 36, 39, 44, 45, 61, 322
뉴린제 ■2 323
니가키 고이치 ■2 80, 334
니미가타 쓰요시 ■2 78
니시고오리 지로 ■2 225
니시노 에리코 ■2 28
니시노 준야 ■1 129, 131, 132, 135, 136, 150, 165, 173, 174, 177, 180, 206, 210, 270, 272, 274, 305, 307, 314, 315, 322, 347 ■2 60, 63, 124
니시다 요스케 ■1 374
니시 다이라 ■2 88
니시 마사히코 ■2 82, 333
니시무라 미네타쓰 ■2 81, 206
니시무라 미치코 ■2 183
니시무라 아키라 ■1 353
니시무라 유호 ■1 178
니시베 스스무 ■2 277
니시 아마네 ■2 267, 269
니시오카 다쓰시 ■1 137
니시우치 아키토 ■1 137
니시지마 신지 ■2 114
니시카와 가즈미 ■1 208
니시카와 유코 ■2 164
니시키 히로키 ■2 35
니시하나 게이코 ■2 34
니시하라 마리 ■2 151
니시하라 마사시 ■1 134
니시하라 요시카즈 ■1 110, 114
니시 히데나리 ■1 433
니와 준이치로 ■2 335
니치렌 ■2 348
니카 노리오 ■2 88
니카이 도시히로 ■1 35, 59, 322
니쿠라 다카히토 ■2 150
니토베 이나조 ■2 182
니헤이 마사토 ■2 336
니혼마쓰 야스코 ■2 272
닉슨, 리처드 ■2 174
닛사토 유키 ■1 351

다가와 세이미 ■1 381
다고 게이치 ■2 229
다나카 가쓰히코 ■2 130
다나카 가쿠에이 ■2 95
다나카 게이 ■2 156
다나카 고지 ■1 61
다나카 노리히토 ■2 58, 59, 60
다나카 다쓰오 ■1 62
다나카 마사타카 ■1 250, 431, 432
다나카 미쓰하루 ■1 274
다나카 아키히코 ■1 206

다나카 유코 2 246
다나카 유키 2 249
다나카 준 2 161
다나카 히로시 1 91
다나카 히사시게 2 388
다나카 히카루 1 418
다나카 히토시 1 130, 307 2 87
다니가와 히로미치 1 338
다니 게이 1 348
다니노 사쿠타로 2 165
다니모리 마사히로 1 353
다니 세이지 1 413 2 261
다니엘 롱 2 225, 386
다니엘 밥 1 211
다니엘 종 스베켄디크 2 203
다니엘 핑크스톤 1 146
다니자키 준이치로 1 448 2 80
다다 난레이 2 275
다다 다카시 2 183
다마이 히데키 2 60, 62
다마키 다다시 1 232
다마키 유이치로 1 36
다무라 고타로 1 206
다무라 도시코 2 78
다무라 후미노리 2 135, 166
다바타 마사지 2 353
다부치 다카아키 1 391
다사카 고 1 444 2 271
다사카 마사노리 1 119, 426
다사카 마키 1 274
다쓰노 긴고 1 351
다야 가즈히코 2 341
다야마 가타이 2 347
다와다 요코 1 414 2 79, 82, 165, 206, 261, 271
다윈 2 168
다이라노 기요모리 1 419 2 107
다이쇼 2 269
다이크스 사오리 2 161
다자이 오사무 2 51, 131, 217, 393
다지마 가요 1 323
다지마 다다아쓰 2 389
다지마 아키코 2 226
다치바나 미치코 2 225
다치하라 마사아키 2 117
다카구치 아키히로 2 81
다카기 마코토 2 83
다카기 세이치로 2 93
다카노 도시후미 2 152
다카다 마코토 1 61
다카마도노미야 비(妃) 히사코 1 79
다카미야 히로에 2 181
다카미 준 2 51
다카바다케 모토유키 2 387
다카세 고이치 1 352 2 349
다카세 고헤이 2 348
다카스기 노부야 1 319 2 122
다카스기 야스시 2 117
다카야나기 도시오 1 432
다카야나기 유키 2 41
다카야마 도모아키 1 445
다카야스 유이치 1 78, 322
다카에스 마사야 2 72
다카오카 미나 1 351, 352

다카쿠사 기미나 2 32
다카키 나오토 1 338
다카타 아야 1 350, 351
다카하라 마사노리 1 443
다카하라 모토아키 2 190
다카하라 아키오 1 173, 314
다카하마 교시 2 222
다카하시 가쓰노리 1 79
다카하시 고지 1 348 2 109, 344, 391
다카하시 기미아키 1 94, 100, 428
다카하시 기쿠에 2 347
다카하시 나쓰키 1 274
다카하시 레이이치로 2 119
다카하시 마사노리 1 443
다카하시 마코토 1 272, 274
다카하시 미호 1 412
다카하시 아즈사 2 112
다카하시 와타루 1 451
다케구치 도모유키 1 450
다케나카 헤이조 2 76
다케다 료타 1 58
다케다 세이지 2 116
다케다 오미 2 388
다케다 하루히토 2 164
다케다 하지무 1 134, 209, 312
다케모토 나오카즈 1 207
다케사다 히데시 2 64, 119, 120, 122, 123
다케시타 노보루 1 29, 44
다케우치 가요 2 83
다케우치 노리아키 2 37
다케우치 노부오 2 200
다케우치 시게노리 1 110
다케우치 야스토 1 259
다케우치 에미코 2 113
다케우치 요시미 2 89
다케우치 유스케 2 387
다케우치 유지 2 271
다쿠보쿠 마사유키 2 64
다키가와 진켄 2 166
다키구치 아키히로 2 81
다키우라 마사토 2 275
다테노 스즈 1 382
더니지침보 빔바더르지 1 57
데라니시 가오루 2 225
데라다 스케지로 1 110
데라다 요헤이 1 407
데라사와 구니히코 1 440
데라야마 슈지 2 79
데라와키 겐 1 108
데라우치 마사타케 1 29, 56, 436
데라카도 세이켄 2 343
데루야마 노리모토 2 231
데루야 유키오 1 353
데리다 2 80, 207
데리다 에리 2 34
데보라 립스타트 2 462
데시마 다카히로 2 28, 69, 70, 80, 71, 106
데이비드 스트라우브 1 320
데이비드 플롯 1 206
데즈카 하야토 1 274
덴무 1 242
도가사키 유이치 2 28
도(토)가시 아유미 1 210, 396, 401, 402
2 342

도고 가즈히코 2 164
도고 헤이하치로 1 447
도구치 히데시 2 61
도널드 케슬러 2 310
도네리 친왕 1 242
도노무라 마사루 1 271, 274, 313, 416, 431, 432
도노하라 요시히코 1 269
도도로키 히로시 2 167
도리야마 세키엔 2 247
도모쓰네 쓰토무 2 69, 149
도모토 아키코 1 110
도몬켄 2 145
도미닉 오프리 1 229
도미야마 무쓰히로 1 269
도미야마 이치로 2 200
도미타 고지 1 35, 36, 371 2 178
도베 히데아키 2 72, 89
도(토)비 히로타카 1 414 2 261
도쓰카 신야 1 58, 102
도요다 도모요 2 204, 205
도요마 마코토 1 338
도요우라 준이치 1 131, 132, 136, 137, 170, 208, 209, 232, 315
도요타 데쓰야 2 88
도요토미 히데요시 1 94, 95 2 265
도이 히데유키 1 274
도자키 하지메 1 353
도조 히데키 2 200
도코로 노부유키 1 353
도코로 유미 1 446, 447, 451
도쿠가와 이에시게 1 426
도쿠가와 (이에야스) 2 267
도쿠나가 세이코 2 220
도쿠라 마사카즈 1 134
도쿠야 유키코 1 147
도키와 유코 2 46
동 지차오 2 130
동샤오위 2 79
두테르테 2 289
드가 2 129
드골 1 215 2 433
들뢰즈 2 217
디란 미기 2 226
딘 스마트 1 248
딘울렛 2 63

라단 로크니 2 57
라우더빈 2 88
라이샤워 2 455
라이옌훙 2 81
라이이쩐 2 82, 83
라이잉 2 79
란 페이치아 1 180
람베르토 자니에르 1 201
랑야취엔 2 79
램지어 2 455
량치차오(양계초) 1 349 2 107
런샤오리 2 50
레오 스트라우스 2 372
로라 헤인 1 245
로런스 레식 2 330
로버트 무질 2 79
로버트 티아니 2 80

로트레크 2 129
롤즈, 존 2 168
롼원야(완문아) 2 79, 80, 81
루쉰 2 83, 337
루이신(陸一心) 2 335
루티 타이델 2 361
뤄펑 2 54
뤄허뤄 2 79
류장용 2 88
류진 2 323
류홍송 2 88
리 고토미 1 417
리나 2 155
리다 히로부미 1 208
리샤오린 1 202
리우더빈 2 88
리우위링 2 79
리우이쩐 2 79
리우장용 2 88
리우저위 1 248
리우젠쥔 2 88
리우춘잉 2 333
리원루 2 82
리자오싱 1 202
리처드 부시 1 219, 220 2 313
리천양 2 88
리청르 2 150
리춘푸 1 210
리쾨르, 폴 2 207
리팅팅 1 160
린리팅 2 82
린쉐싱 2 78, 83
린이푸 1 227
린저위엔 2 214
린타오 2 334
린페이롱 2 80
림족호이 1 202
림찬티옹 1 135
링야취엔 2 79

마고사키 우케루 1 129, 392 2 164
마나베 유코 2 220
마루야 도요지로 2 208
마루야마 간지 1 390
마루야마 고헤이 1 57, 321
마루야마 마사오 1 168, 169, 170, 390 2 188, 332
마루야마 야스오 2 161
마루이 아키코 1 274
마루카와 데쓰시 2 89
마루키 부부(마루키 이리, 마루키 도시) 2 221
마르크스 2 200, 387
마르틴 현 2 282
마스다 히로야 1 110 2 208
마스부치 아사고 2 69
마스타니 후미키 1 274
마쓰나가 유미코 2 38
마쓰노 아키히사 2 230
마쓰다 고이치로 1 170 2 168
마쓰다 도시히코 1 432, 433 2 246
마쓰다 요시히코 2 29
마쓰다 유사쿠 2 117
마쓰모토 노리오 2 222
마쓰모토 다케노리 2 58, 200

마쓰모토 도모야 ❶ 426
마쓰모토 마사카즈 ❷ 168
마쓰모토 미와 ❶ 349
마쓰모토 소이치 ❶ 209
마쓰모토 신스케 ❷ 66
마쓰모토 야스오 ❷ 58
마쓰(츠)모토 세이초 ❶ 414, 448 ❷ 113, 341, 342, 390
마쓰무라 가오루코 ❷ 220, 247
마쓰바라 가즈마 ❶ 274
마쓰바라 다카토시 ❶ 339
마쓰시타 가즈오 ❶ 207, 208
마쓰시타 고노스케 ❶ 393
마쓰시타 다쿠마 ❶ 350
마쓰시타 마나 ❶ 350
마쓰시타 신페이 ❷ 250
마쓰시타 유미코 ❶ 451 ❷ 45
마쓰오 바쇼 (바쇼) ❷ 81, 246, 386, 393
마쓰오 요시키 ❷ 129, 130
마쓰오 히로키 ❶ 95, 101
마쓰우라 게이코 ❷ 34
마쓰우라 리에코 ❶ 417
마쓰이 도쿠지 ❷ 271
마쓰이 야요리 ❷ 169
마쓰이 히사코 ❶ 274
마쓰자카 게이코 ❶ 104
마쓰키 료코 ❷ 27
마쓰타니 모토카즈 ❷ 152, 156, 165, 223, 354
마쓰하시 사치요 ❶ 451
마에다 겐지로 ❶ 274
마에다 겐타로 ❷ 166
마에다 노부히로 ❶ 110
마에다 데루노부 ❶ 35
마에다 쓰네아키 ❶ 338, 345
마에다 요시마사 ❷ 38
마에하라 세이지 ❶ 39
마오쩌둥 ❷ 337
마윈 ❶ 225, 227
마유즈미 도시로 ❷ 136, 142
마이클 김 ❷ 189
마이클 만 ❷ 329
마이클 모랄스키 ❷ 131
마이클 오핸런 ❶ 221 ❷ 312
마치다 다카시 ❷ 43
마치무라 긴고 ❶ 62
마치무라 노부타카 ❶ 206
마치이 히사유키 ❷ 117
마크 내퍼 ❷ 123
마크 리퍼트 ❶ 219
마크 셀던(든) ❶ 245 ❷ 189
마크 피츠패트릭 ❶ 169
마키구치 쓰네사부로 ❷ 348
마키노 에이지 ❶ 353, 444 ❷ 128
마키노 히로야 ❷ 35
마타요시 에이키 ❷ 71
마테오 렌치 ❶ 202
마틴 자크 ❶ 202
마하티르 모하마드 ❶ 201, 202
막스 베버 ❶ 348
말콤 리프킨드 ❶ 215
말콤 턴불 ❶ 202
맥아더 ❷ 363
맥클라인 케네스 모리 ❶ 149

미노리카와 노부히데 [1] 206
미노와 요시쓰구 [1] 95 [2] 66
미란다 슈레즈 [2] 58
미마키 세이코 [2] 152, 165
미무라 미쓰히로 [1] 130, 165
미무라 아키오 [1] 227
미바에 다이스케 [1] 58, 321
미셸 푸코 [2] 204
미시마 유키오 [1] 409, 417 [2] 56, 78, 83, 275, 330, 332, 441, 442
미쓰이 겐 [2] 42
미쓰이 다카시 [1] 353, 432 [2] 89, 194
미쓰이시 아유미 [2] 70
미쓰즈카 히로시 [1] 62
미야니시 아키 [1] 274
미야모토 마사아키 [2] 87
미야모토 미치코 [1] 374
미야모토 유리코 [2] 78
미야베 미유키 [2] 274
미야와키 다카후미 [2] 161
미야우치 히데키 [1] 58
미야자와 겐지 [1] 415 [2] 79, 347, 387
미야자와 기이치 [1] 84
미야자와 쓰요시 [2] 113
미야자키 쓰토무 [1] 96
미야자키 요시노리 [1] 413 [2] 261
미야자키 하야오 [2] 159, 270
미야자키 후미코 [2] 246
미야지마 슌이치 [1] 353
미야지마 아키오 [1] 206
미야지마 히로시 [1] 94 [2] 202, 203, 221
미야케 요시히코 [1] 110
미야타 료헤이 [1] 107
미와 겐지 [1] 353
미우라 다이스케 [2] 59
미우라 마사요 [1] 443
미우라 아야코 [2] 385
미조구치 아키코 [2] 151
미조구치 젠베 [1] 110
미조와키 미레 [1] 382
미즈노 고스케 [2] 352
미즈노 나오키 [1] 96, 101, 432 [2] 264
미즈노 도모히코 [1] 170
미즈노 마리 [2] 36
미즈노 아키 [1] 445
미즈누마 가즈노리 [2] 34
미즈누마 게이코 [1] 306
미즈모토 구니히코 [2] 218
미즈사키 린타로 [1] 54
미즈시마 고이치 [1] 134, 325, 326 [2] 124
미즈카미 쓰토무 [2] 81
미즈코시 히데아키 [2] 119
미즈키 시게루 [2] 222
미즈타니 다카시 [1] 449
미즈타니 하쿠센 [2] 393
미치가미 히사시 [1] 57, 320 [2] 119, 121
미치시타 나루시게 [1] 129, 402 [2] 121
미치카 [1] 378
미카와 마사코 [1] 274
미쿠니 기호코 [2] 35
미키 다케오 [2] 174
미키 로후 [2] 274
미키 아쓰유키 [1] 79
미타니 노리마사 [2] 108

미하엘 라이터리 1 202

바뎬쥔 2 88
바르트 2 80
바바 요시히사 2 60
바이든(대통령, 정부) 1 129, 164, 175, 181, 214, 215, 216, 234, 236 2 283, 310, 311, 312, 315, 327, 451, 454, 457
바지 도모히토 2 168
바흐 1 164
반 고흐 2 129
반노 신지 1 411, 422
발리냐(냐)뇨, 알렉산드르 2 167
번즈 2 279
범횡 1 446
베르그송 2 200
베르만, 앙트완 1 412
베벤 2 279
벨라스코 2 81
벳쇼 고로 2 121, 122, 250
벳푸 하루미 2 184
보나르 2 129
부잔 2 362
브라이언 멀로니 1 202
브루스 클링너 1 219, 220 2 312, 313
브룬트란트 2 211
브리네르 1 241
블라디미르 쿠릴로프 2 58
블링컨 2 451
빅터 발머 토머스 1 299
빌 클린턴 1 202
사가 1 97
사가와 에이지 2 201
사나다 신지 2 386
사노 겐지 1 353 2 235
사노 마사토 1 353 2 220, 221
사노 마유코 2 149, 249
사누키노스케 2 387
사다가타 마모루 1 148, 269
사다모토 마사시 1 273
사다카네 히데유키 2 151, 354
사도 아키히로 1 353
사메지마 후미오 1 58, 102
사사가세 유지 1 148, 269
사사에 겐이치로 1 134, 150, 270
사사카와 료이치 1 211
사사카와 료헤이 1 211
사사키 노부히코 1 207
사사키 니이나 1 79
사사키 리요 1 272, 273
사사키 미키오 1 59, 77, 78, 79, 80, 81
사사키 사토시 2 62
사사하라 히로유키 2 218
사에 슈이치 2 387
사에키 고지 1 428
사오토메 마사히로 2 101
사와다 가쓰미 1 147, 148, 208, 209, 232, 269, 270, 307, 313, 315, 323 2 124
사와다 겐 1 412
사와다 노부에 2 32
사와베 유코 1 407
사와이 료스케 2 35

사이고 다카모리 2 332
사이 세쓰바이 2 225
사이쇼 겐타 2 161
사이토 겐 1 307
사이토 마레시 1 352 2 200, 349
사이토 마사키 1 431
사이토 마사히토 2 54
사이토 미노루 1 56 2 86
사이토 아사코 2 33
사이토 아유미 2 139
사이토 아케미 1 352 2 45
사이토 요시코 2 81
사이토 요시히코 1 353
사이토 요코 2 100
사이토 쥬로 1 62
사이토 히데키 2 105, 106, 345
사지마 아키코 1 353
사카구치 안고 1 419
사카타 야스요 1 270, 322
사카모토 다다시 1 353
사카모토 료마 1 320
사카모토 사오리 2 80, 82
사카모토 유이치 1 433
사카모토 지즈코 1 433
사카모토 하루카 1 177
사카모토 히로시 2 59, 81
사카사이 아키토 1 414 2 261
사카우에 노조미 2 226
사카이다 미오 1 135, 137, 148, 209, 232, 269
사카이 마사요 1 426
사카이 아야카 1 273, 382
사카이 히로미 1 433
사카자키 모토히코 2 138, 162, 166
사카타 야스요 1 270
사코다 구미코 2 388
사코다 아키코 1 408, 415, 422
사쿠라기 아키히로 1 444
사쿠라마 우진 1 104, 105
사쿠라이 구니모토 2 58
사쿠라이 미사토 1 381
사쿠라이 요시히데 1 352 2 349
사쿠라이 유키 1 382
사쿠라이 준 1 374
사쿠마 진파치 1 246
사쿠모토 가나 2 69
사키야마 다미 2 70, 71, 78, 220
사키하마 사나 2 69
사타 이네코 2 78
사토 가쓰라 2 108
사토 다이사쿠 2 231
사토 다쿠마 1 435 2 46
사토 도모미 1 381
사토 도시유키 1 102
사토 마코토 1 94, 100
사토 모토키 1 273, 382
사토무라 긴조 2 83
사토미 스스무 1 110, 113
사토 아케미 1 95
사토 야스히로 1 227
사토 에이사쿠 2 174, 293
사토 요사쿠 1 374
사토 유우 1 274
사토 유키코 2 109

사토 이즈미 ❶ 416 ❷ 69, 70, 72, 260
사토 후미오 ❶ 61
사토 후미히코 ❷ 222
사하시 료 ❶ 129 ❷ 60
산딥 쿠마르 미쉬라 ❷ 257
살람 파야드 ❶ 202
삿사 미쓰아키 ❶ 353
샐린저, J.D. ❷ 113
샤 유안차오 ❷ 334
서옥란 ❷ 167
선시아 ❷ 88
설도 ❷ 234
세노 기로 ❶ 440
세리카와 데쓰요 ❷ 219
세마 마사유키 ❷ 129, 130
세이 요시아키 ❷ 117
세키네 히데유키 ❶ 96, 441, 443 ❷ 26, 250, 273
세키네 히데지 ❷ 226
세키 다쿠야 ❷ 161
세키 요코 ❷ 46
세토 류조 ❶ 206, 372
센다 가코 ❷ 126
센세 이키 ❶ 353
센켄시쓰 ❷ 226
셋손 유바이 ❶ 350
션지아 ❷ 30
셜록 홈즈 ❷ 83
소리단 ❷ 82
소리마치 마스미 ❷ 344
소마 유키카 ❶ 63
소메야 도모유키 ❷ 109, 345
소에야 요시히데 ❶ 100, 177, 178, 206, 207, 212, 307, 308, 315, 322, 331, 353 ❷ 63
소에지마 겐지 ❷ 45
소 요시나리 ❶ 246
소토야 쓰요시 ❶ 350
손정의 ❶ 225, 227
쇠라 ❷ 129
쇼니 후유스케 ❶ 436
쇼무 ❶ 436 ❷ 230
쇼와 ❶ 447
쇼지 준이치로 ❷ 331
쇼토쿠 ❶ 280 ❷ 389
쇼후쿠테이 긴페이 ❷ 221
수실로 밤방 유도요노 ❶ 202
순쉐펑 ❷ 88
순아이윙 ❷ 225
쉬이핑 ❷ 226, 247
슈타인 ❷ 145
슈토 모토코 ❷ 93
스가와라 야스노리 ❶ 353
스가 요시히데(총리, 내각, 정권) ❶ 35, 144, 145, 146, 147, 164, 168, 412 ❷ 147, 279, 300, 452, 460
스기모토 쇼고 ❶ 409 ❷ 29, 80, 82, 151, 260
스기모토 이즈미 ❶ 274
스기무라 고이치 ❷ 257
스기타 도모미 ❷ 222
스기하시 다카오 ❶ 353
스다 쓰토무 ❷ 196
스미 유리카 ❶ 412, 422 ❷ 33

스사노오 2 226
스 샤오웨이 2 113
스에마쓰 미사키 2 226
스와 아키히로 1 422 2 34
스이코 1 104
스즈에 유카리 1 408 2 259
스즈키 가쓰아키 1 338
스즈키 가오루 1 382
스즈키 가즈토 1 147
스즈키 구니오 2 164
스즈키 구미 1 433
스즈키 다쓰지로 1 149, 150, 270
스즈키 데쓰야 2 225
스즈키 도시히로 1 319
스즈키 마사미쓰 2 161
스즈키 마사토 1 357
스즈키 마사히사 2 89
스즈키 미치히코 1 418
스즈키 소타로 1 132, 136, 209, 313, 403
스즈키 슌조 1 319
스즈키 아즈사 2 28
스즈키 아키라 2 230
스즈키 오사무 1 319
스즈키 이쿠노 1 274
스즈키 하루노부 2 145
스즈키 후미코 2 185
스즈키 히데오 2 123
스즈키 히로나오 1 135
스츠키 히로시 1 148 2 119
스즈키 히로타카 1 444
스탈린 2 329
스티븐 비건 1 216
스티븐스 2 281
스티븐 얼랜저 1 217
스티븐 크래스너 1 168
시가 가나코 2 33
시노자키 미오코 2 113
시노자키 유키 1 382
시노하라 슌 1 382
시노하라 히로아키 1 57
시다하라 유미코 2 275
시라이 사토시 1 353
시라이시 다카시 1 309
시마다 마사히코 2 164
시마무라 다카노리 2 111
시마조노 스스무 1 353
시마즈 유이치로 2 349
시모무라 하쿠분 1 59
시모오카 유카 2 83
시모카와 아야나 2 135, 166
시모타 세이지 1 411
시모토마이 노부오 2 58
시미즈 도시유키 1 269
시미즈 마호 1 274
시미즈 아키히로 1 353
시미즈 야스히사 1 170
시미즈 유이치로 1 352
시미즈 켄타 2 281
시바 료타로 1 282
시바 요코 2 169
시바타 겐야 1 338
시바타 나오코 2 58, 59
시바타 후미타케 1 357 2 35
시부사와 에이이치 1 419 2 248

시부에 지하루 ❶ 137, 232
시오무라 기미히로 ❷ 388
시호쓰치노오지 ❶ 409 ❷ 259
시오자키 야스히사 ❶ 206
시이나 에쓰사부로 ❶ 62
시조(四条) ❷ 139
시진핑 ❶ 189, 394 ❷ 120, 337, 338, 448
시타쿠보 세이지 ❶ 269
신가에 아키토모 ❷ 153
신자토 요시노부 ❶ 347
신조 이쿠오 ❷ 72
신카이 사키코 ❶ 426
쑤장허 ❷ 88
쑤즈량 ❶ 242
쓰가 다쓰로 ❶ 110
쓰네카와 게이치 ❶ 147, 149, 269
쓰노다 에이이치 ❷ 148
쓰노다 유카 ❷ 261
쓰노다 후사코 ❶ 91
쓰다 히로후미 ❶ 57, 357
쓰루다 게이 ❶ 428
쓰마키 요리나가 ❶ 351
쓰보이 아키히로 ❷ 231
쓰시마 유코 ❷ 80
쓰쓰미 가즈나오 ❶ 451 ❷ 66
쓰쓰미 게이시로 ❷ 249
쓰지노 유키 ❶ 274
쓰지무라 미치요 ❷ 323
쓰지무라 시노부 ❶ 346
쓰지 아키토시 ❷ 78
쓰지하라 노보루 ❶ 104, 108
쓰지 히토미 ❶ 382
쓰치야마 지쓰오 ❷ 63
쓰치야 요시히코 ❶ 109, 110
쓰카모토 소이치 ❶ 208, 209
쓰쿠바 마리모 ❶ 382 ❷ 250
쓰하 다카시 ❷ 183, 222

아나미 유스케 ❶ 135
아니발 카바코 실바 ❶ 202
아니야 사네아키 ❷ 222
아담 세스타이 ❶ 169
아데나워 ❷ 433
아라이 미유 ❶ 408
아라이 쇼고 ❶ 110
아라이 신이치 ❷ 194
아라이 히로유키 ❶ 310 ❷ 250
아라카와 아키라 ❷ 71
아라키 가즈노리 ❶ 97, 101
아라키 마호 ❶ 351
아라키 히로시 ❷ 222
아리가 나가오 ❶ 437 ❷ 270
아리미쓰 겐 ❶ 260
아리카와 세쓰오 ❶ 108
아마 도시마로 ❷ 108
아마코 사토시 ❷ 88
아미모토 다케시 ❷ 249
아미티지 · 나이 ❶ 160
아베 고보 ❷ 79, 83, 202, 275
아베 고키 ❷ 59
아베 다이세이 ❶ 348, 349
아베 다카시 ❷ 71
아베 데이지 ❶ 446
아베 마코토 ❶ 151, 322 ❷ 147, 208, 353

아베 미쓰이에 [1] 440
아베 사토코 [2] 155
아베 슈이치 [1] 110
아베 스에마사 [2] 51
아베 신조(총리, 내각, 정권, 아베노믹스) [1] 29, 30, 83, 130, 132, 134, 143, 144, 145, 146, 154, 158, 159, 160, 161, 162, 163, 164, 167, 169, 170, 174, 175, 180, 181, 185, 186, 190, 192, 193, 198, 199, 200, 210, 235, 244, 315, 320, 326, 333, 334, 336, 337, 363, 394, 395, 396, 397, 398, 401, 402, 414, 416, 426, 435, 456, 459 [2] 61, 63, 121, 122, 147, 150, 152, 156, 158, 178, 202, 204, 230, 260, 263, 284, 291, 293, 298, 299, 300, 311, 317, 327, 337, 351, 353, 363, 388, 409, 448, 449, 459, 461, 463
아베 쓰요시 [1] 208
아베 요시시게 [2] 188
아브라함 뉴먼 [2] 147
아사가 히로노부 [2] 60
아사노 가나 [2] 166
아사노 나가노리 [1] 91
아사노 도요 [1] 173
아사노 도요미 [1] 173 [2] 88, 152
아사노 신이치 [2] 162
아사미 아시키 [1] 381
아사바 유키 [1] 346 [2] 60, 123
아사오 고타 [1] 382
아사이 료이 [2] 108
아사카와 다쿠미 [2] 389
아사카 히로노부 [2] 60
아사쿠라 도시오 [2] 182
아사하라 다이치 [1] 382
아사히나 유키 [2] 44
아소 다로 [1] 54 [2] 417
아소 미치코 [1] 450
아소 와타루 [1] 110
아소 요시테루 [2] 269
아쉬가르 파라디 [1] 352
아시카가 다카우지 [2] 332
아쓰미 나루히코 [1] 373
아에프 사에풀 바하리 [2] 225
아오노 마사아키 [2] 109
아오모리 쓰요시 [2] 30
아오야기 미도리 [2] 116
아오야마 도지로 [1] 322
아오야마 루미 [2] 88
아오야마 미호 [1] 208
아오야마 슈지 [1] 208, 269
아오야마 야스시 [1] 110
아오이 [1] 377
아오키 다카나오 [1] 95
아오키 사야카 [2] 31
아오키 시게루 [1] 350
아와야 겐타로 [2] 200
아와야 쓰토무 [1] 309
아와쿠라 요시카쓰 [1] 134
아웅산 [1] 140
아유자와 유즈루 [1] 273
아이자와 세이시사이 [1] 245
아이자와 유카 [1] 408, 417, 422 [2] 36, 247
아카기 요시코 [2] 82

아카바 가즈요시 [2] 250
아카시 야스시 [1] 206
아카야 기미히로 [2] 271
아쿠쓰 유키 [1] 381
아쿠즈 히로야스 [1] 100
아쿠타가와 류노스케 [1] 417 [2] 51, 78, 113, 275, 333
아키 레이지 [2] 152
아키모토 게이고 [1] 207
아키바 가즈요시 [2] 250
아키바 다카시 [2] 182
아키야 기미히로 [2] 271
아키야마 겐지 [2] 58, 60
아키야마 노부마사 [1] 135, 150
아키야마 미치히로 [2] 72
아키 요시후미 [1] 382
아키히토 [1] 51, 130 [2] 176
악셀 호네트 [2] 204
안노 마사히데 [1] 443 [2] 35
안도 간 [1] 433
안도(安藤聖野) [1] 413
안도 유스케 [2] 167, 168
안도 준코 [1] 394 [2] 104
안드레아 팔라오로 [1] 352
안자코 유카 [1] 258, 433 [2] 54
안케이 다카코 [2] 183
안케이 유지 [2] 183
알렉산더 부크 [1] 442
알렉산드라 콜론타이 [2] 78
알렉시스 더든 [1] 250 [2] 150
알타이 [2] 358
암벨까르 [2] 358
앨 고어 [1] 202
야가사카 히데노리 [2] 36
야기 가즈오 [1] 352
야나가와 시게오키 [1] 246, 425, 426
야나기마치 이사오 [1] 319, 323
야나기 무네요시 [1] 447 [2] 234, 235, 269
야나기 아라 [1] 119
야나기타 구니오 [2] 69, 89, 222, 234, 235
야나이 슌지 [1] 206
야나이하라 다다오 [2] 197
야나타 스구루 [1] 353
야노 다카요시 [2] 37, 393
야노 료코 [1] 349
야노 히데키 [1] 249
야마가타 아리토모 [1] 398
야마구치 나쓰오 [1] 35, 36
야마구치 다케시 [2] 53, 56
야마구치 도모미 [2] 150
야마구치 마사시 [1] 339
야마구치 마사야 [2] 251
야마구치 마사요시 [1] 110
야마구치 마사토시 [1] 339
야마구치 미쓰쓰네 [1] 207
야마구치 신지 [1] 147
야마구치 쓰요시 [1] 177, 307 [2] 194
야마구치 유카 [1] 386
야마구치 지로 [2] 150
야마나카 미네오 [2] 34
야마나카 유헤이 [2] 78
야마나카 지에 [2] 151, 152, 165
야마다 게이지 [1] 110, 111
야마다 기이치 [1] 413

야마다 도루 2 58, 59
야마다 쇼지 1 432
야마다 아키히코 2 166
야마다 에이미 2 260
야마다 엔지로 1 426
야마다 유이치 1 354
야마다 지카히로 1 93
야마다 후타바 2 80
야마 도시마로 2 108
야마모토 겐조 1 418
야마모토 다케히코 1 206
야마모토 류스케 1 274
야마모토 마사히데 1 339
야마모토 미치에 2 222
야마모토 세이타 1 248
야마모토 아쓰히사 2 249
야마모토 요시미 2 182
야마모토 유키오 1 386
야마모토 이치타 1 86
야마모토 이쿠오 2 225
야마무라 고지 1 108
야마무라 신이치 2 211
야마무로 고시 1 433
야마무로 신이치 1 245 2 164
야마비 마사노리 2 58, 59
야마사키 도요코 2 335
야마사키 히로키 1 137, 149, 401 2 101, 105, 106, 126, 149
야마시타 영애 1 432
야마 야스유키 2 100
야마오카 구니히코 1 134
야마오카 미치오 1 353
야마 요시유키 2 157
야마자 엔지로 1 96, 426
야마자키 요시노리 2 261
야마토노 아손 1 424
야마하라 모에 1 381
야베 데이지 1 446
야부나카 미토지 1 129 2 446
야스다 다케히코 1 353
야스다 도시유키 1 449
야스다 마사시 2 29
야스다 요시카타 1 427
야스다 젠지로 1 225
야스마루 요시오 1 419 2 248
야스이 겐 1 44
야스이 고헤이 1 382
야스이 마나미 2 220
야스코우치 아키코 2 38
야스쿠니 료이치 2 218
야스하라 다카히코 1 77
야쓰기 가즈오 2 249
야오페이 1 242
야요이 미도리 2 38
야치 쇼타로 1 59
야쿠시지 가쓰유키 1 398
양계초(량치차오) 1 349 2 107
양수 2 88
양스샤 2 53
양윈핑 2 80
양지아지아 2 78
어슬러 휴즈 2 366
에노모토 마사루 1 100
에노모토 와타루 1 436

에노키 가즈에 2 134
에다노 유키오 1 35
에도가와 란포 1 412 2 51, 346
에드워드 로즈 2 376
에드워드 마크 2 110
에드윈 퓰너 1 225
에밀 가보리오 2 83
에반 강 1 377, 378
에반스 리비어 1 219, 220 2 312, 313
에이브러햄 차니스 2 376
에쿠니 가오리 1 104
에토 세이시로 1 59
에토 준 2 277
엔도 가즈야 1 177
엔도 겐 1 148, 149, 170, 269, 394
엔도 슈사쿠 1 408 2 81
엔리코 레타 1 202, 225
엔지 후미코 1 448 2 78, 275
엘리자베스 콜 1 245
영 다니엘 2 79
예브게니 프리마코프 1 201
오가와라 아키오 1 78, 304, 307
오가와 마이코 2 226
오가와 미사 1 349, 350
오가와 미치요 1 350
오가와 쇼타 2 115, 116
오가와 아키히로 2 149
오가와 에이지 2 184
오가타 요시히로 1 399, 404, 409, 433
2 262
오고시 나오키 2 225, 386
오고시 마리코 2 225
오구라 가즈오 1 150, 176, 177, 226, 270,
331 2 61
오구라 기조 1 108, 383 2 112, 118, 164
오구로 가즈마사 1 208
오구마 리코 1 273
오규 소라이 1 426 2 386
오기노 고타로 2 151
오기쓰 마이 1 381
오기하라 사에코 2 44, 231
오나가 다케시 2 140
오노 고지 2 201
오노 마사아키 1 56, 58, 102
오누키 도모코 1 150, 270
오니시 유타카 1 353
오니시 히토시 2 82
오다가와 고 2 58
오다 다케오 2 82
오다 료스케 1 419 2 248
오다 마코토 1 413 2 260
오다 사쿠노스케 2 113
오다 아키라 2 167
오다 요시히사 2 226
오다가와 고 2 58
오리구치 노부오 2 69
오리구치 시노부 2 82
오모리 게이스케 2 151
오무라 마스오 2 219
오무라 마스지로 2 332
오무르벡 바바노프 1 201
오바 겐지 2 80, 83, 275
오바마 1 107, 179 2 91, 98, 310, 449
오바 아야 1 350

오바 오사마 2 184
오부치 게이조 1 29, 33, 103, 105, 109, 134, 146, 181, 191, 311, 312, 315, 317, 332, 397, 402 2 422. 449, 489, 486
오부치 준페이 1 351
오사 노부히로 1 57
오사바 료 1 270
오사 시즈에 1 353
오사와 마사루 2 161
오사와 분고 1 130, 140, 147, 148, 149, 150, 269, 270
오사 히사미쓰 1 102
오스기 사카에 2 236, 346
오시가와 마사요시 2 222
오시다미 아야카 2 226
오시로 다쓰히로 1 416 2 70, 71, 82, 260
오시로 사다토시 2 69, 71
오시마 나기사 1 351, 417 2 70, 116, 260
오시마 쇼타로 1 206
오시바 료 1 149, 270
오시타니 히토시 1 177
오싱 2 393
오쓰카 마사유키 2 161
오야마 세이이치 1 245
오야마 이와오 1 349
오에 겐자부로 2 83, 271, 385
오오시마 타다모리 1 49, 50
오오시마 다쿠 1 353
오오이시 요시히로 1 353
오오카 쇼헤이 2 81
오오키 야스시 1 353
오와 미에 2 157
오와다 히사시 1 308
오우치 다카오 2 334
오우치 아야카 1 382
오이시 구라노스케 1 91
오이즈미 히로코 1 110
오이카와 히로에 2 385
오자사 가쓰유키 1 357 2 33, 125
오자와 도모하루 1 353
오자와 이치로 1 163 2 102, 475
오자키 고요 2 51
오자키 나즈코 2 81, 83, 335
오자키 다카에 1 446
오자키 이치로 1 353
오자키 후미아키 1 351
오자키 히로야스 1 125
오자토 도모코 2 72
오치 미치오 1 62
오카 에리나 2 79, 81
오카다 노리오 2 100
오카다 다이헤이 1 260
오카다 히로키 1 353
오카도 마사카쓰 2 195
오카모토 기노코 2 78
오카모토 다케시 2 151
오카모토 다키코 1 353
오카모토 아키라 1 353
오카사카 겐타로 1 135, 137, 404
오카 에리나 2 79
오카자키 히사히코 1 200 2 388
오카자키 데쓰지 2 390
오카자키 료코 2 79

오카쿠라 덴신 ❶ 441 ❷ 139, 269
오코노기 마사오 ❶ 131, 134, 136, 147, 150, 165, 174, 177, 206, 207, 210, 212, 268, 270, 304, 306, 308, 315, 316, 323, 331, 333, 347 ❷ 61, 63, 64, 118, 119, 121, 122, 123, 124, 140, 148
오코노기 에리나 ❶ 408, 415 ❷ 272, 274
오쿠다 사토루 ❶ 79
오쿠마 도모유키 ❶ 433
오쿠무라 유지 ❷ 27
오쿠무라 이오코 ❷ 222
오쿠보 다케하루 ❷ 168
오쿠보 다쿠마 ❶ 79
오쿠조노 히데키 ❶ 150, 177, 178, 269, 270
오타니 뎃페이 ❶ 450, 451 ❷ 274
오타니 신페이 ❶ 349, 351
오타니 유카 ❷ 42
오타 마사카쓰 ❶ 270, 304, 307
오타 마사히데 ❷ 332
오타 마코토 ❶ 418
오타 오사무 ❶ 353
오타 요코 ❷ 78
오타 이쿠고로 ❶ 95
오타케 구니미 ❶ 110
오타케 요코 ❶ 102
오토구니, 가와이 ❷ 393
오페르트 ❶ 246
오하라 유지 ❷ 81
온치 요스케 ❶ 137, 232
올가 페도렌코 ❷ 185
와다 리사 ❶ 382
와다 무네히사 ❷ 59
와다 아쓰히코 ❷ 81
와다 하루키 ❶ 247 ❷ 101, 158, 163, 164, 165
와카미야 요시부미 ❶ 206, 207, 299, 308, 319, 347 ❷ 119, 120, 121, 122, 164, 166
와카바야시 지요 ❷ 190
와카바야시 히로유키 ❷ 62
와카스기 미나 ❶ 348
와카이 지구사 ❷ 183
와쿠이 다카시 ❷ 226
와키타 미노루 ❶ 110
와타나베 고조 ❶ 44
와타나베 고헤이 ❷ 82
와타나베 다케시 ❶ 210
와타나베 미키 ❷ 226
와타나베 사토시 ❶ 353
와타나베 야스히로 ❶ 135
와타나베 이사오 ❶ 274
와타나베 히로시 ❶ 170
와타도 이치로 ❷ 162
와타리 유키 ❶ 350
왕바이위엔 ❷ 79
왕샹수이 ❷ 310
왕스허 ❷ 80
왕안석 ❷ 107
왕양명 ❷ 199
왕예제 ❷ 112
왕유위 ❶ 394
왕이 ❶ 164 ❷ 454
왕이호 ❷ 110, 112, 114

왕중런 1 247, 248
왕즈송 2 78, 334, 335
왕청일 2 112, 114
왕티에차오 2 246
요네무라 고이치 1 134, 209, 319 2 123
요네자와 다쓰야 2 257
요네자와 미유 1 181
요네자와 시오리 2 38
요다 메구미 2 129
요모타 이누히코 2 76, 219
요사노 아키코 2 78
요시노 나오유키 1 208
요시노 사쿠조 1 390
요시노 슈지 2 129
요시다 나오코 2 69, 72
요시다 다쓰히코 2 161
요시다 마이코 2 38
요시다 모리오 2 83
요시다 미쓰루 2 82
요시다 미쓰오 1 102 2 130
요시다 세이지 2 101
요시다 쇼인 2 246
요시다 시게루 1 393 2 102, 263
요시다 에리 2 82
요시다 유키오 2 59
요시다 유타카 1 353
요시다 하쓰사부로 2 55
요시다 후미히코 1 149, 150, 270
요시모토 고지 1 352
요시모토 하지메 2 347
요시무라 신타로 2 204
요시미 요시아키 2 169
요시미즈 기에 1 350
요시이 소 2 59
요시자와 후미토시 1 248, 432, 433
요시자키 다쓰히코 1 134
요시히로 도모코 1 265
요코미쓰 리이치 1 416 2 78, 384
요코미조 미호 1 210
요코보리 가쓰미 2 58
요코시마 고지 2 268
요코야마 나오코 2 36
요코야마 다로 2 341
요코오 히로스케 2 182
요코지 게이코 2 334
요코쿠라 세쓰오 2 58, 59, 60
요한 갈퉁 1 202
요한 록스트롬 1 229
우노다 나오야 1 433
우노 소스케 1 26, 45
우노 지요 2 78
우라타 슈지로 1 207, 208 2 88
우라타 요시카즈 2 113
우마코시 도루 1 93
우메다 슈 2 271
우메다 히로시 1 210
우메야 기요시 1 353
우메자키 하루오 2 131
우스키 게이코 2 122
우스티나 돌고 2 169
우신롱 2 80
우쓰노미야 다로 1 410
우쓰노미야 도쿠마 1 410
우쓰미 준코 1 273

우에노 마사히로 1 382
우에노 미키히코 1 209
우에노 유다이 1 57
우에노 유카코 2 42
우에무라 고고로 1 76, 77
우에키 미치루 1 346
우에키 지카코 2 88
우에하라 고즈에 2 72
우에하라 시즈카 2 181
우종요우 2 80
우즈청 2 88
우징핑 2 60
우치다 나오히토 1 444
우치다 도미오 1 58, 102
우치다 마사토시 1 249 2 214
우치다 야스시 2 82
우치야마 기요유키 1 208, 209 2 120
우쿤황 2 80
우키바 마사치카 1 273 2 81, 226
우페이쩐(첸) 2 78, 80, 334
우하오 2 88
운노 다이치 1 349
웨이첸(천) 2 82, 334
웬디 셔먼 2 459
위커핑 2 88
위타천 2 353
윌리 봔디와라 2 81
윌리엄 쿠퍼 2 376
윌리엄 페리 1 201
윌키 콜린즈 2 83
유대유 2 50
유미야마 다쓰야 1 353
유아사 가쓰에 2 79
유즈키노키미 2 389
육구연(육상산) 2 199
이가라시 고이치 2 247
이가라시 아키오 1 323
이게타 사다요시 2 130
이구치 게이나 2 27
이구치 미쓰구 1 353
이나가와 미도리 1 347
이나가와 유키 1 273
이나가키 이쓰키 2 79
이노우에 다케노부 1 78
이노우에 데쓰지로 2 139
이노우에 도모카쓰 1 353
이노우에 마사노리 1 312
이노우에 마사코 2 59
이노우에 사오리 1 412
이노우에 아이미 1 381
이노우에 엔료 1 349
이노우에 요코 2 129
이노우에 하나코 1 381, 382
이노우에 하루키 1 381
이노우에 히로타카 2 161
이노쿠마 가네카쓰 1 383
이다 유코 2 70, 78, 82
이데이 노조미 1 382
이데이시 다다시 1 147, 150, 269, 270, 306, 314, 316
이리구치 아쓰시 1 445
이리자와 마사아키 1 352
이리카 2 114
이마가와 료슌 1 436

이마니시 준코 [2] 148
이마마사 하지메 [2] 184
이마무라 [2] 182
이마미치 도모노부 [1] 93
이마사토 하지메 [1] 350
이마이 나쓰미 [2] 130
이마이 쓰부라 [2] 81
이매뉴얼 월러스틴 [2] 358
이무라 도모키 [1] 131
이바라기 노리코 [2] 221
이바라기 류타 [1] 110, 114
이보 달더 [1] 215, 218
이부세 마스지 [2] 81
이부카 시게히토 [1] 207
이부키 분메이 [1] 49
이사벨라 버드 비숍 [2] 222
이사 유키 [2] 72
이소가이 지로 [2] 81
이소노 히데하루 [2] 225
이소마에 준이치 [1] 419 [2] 248
이소베 세이지 [1] 209
이소자키 아쓰히토 [1] 210, 353
이시가미 젠노 [2] 110
이시가키 긴세이 [2] 183
이시게 나오미치 [2] 182
이시구로 마리로즈 [2] 76
이시구로 미노리 [1] 273
이시구로 미유 [1] 386
이시다 도루 [1] 425
이시다 바이간 [2] 248
이시다 아쓰시 [1] 173, 174, 175
이시다 조 [2] 112
이시다 히토시 [2] 336
이시마루 도모요시 [1] 391
이시모리 노부오 [2] 334
이시바시 가즈야 [1] 45
이시바시 가쿠 [1] 133
이시바 시게루 [2] 211
이시바시 고 [2] 31
이시야마 히로쓰구 [1] 78
이시이 가즈미 [1] 58, 59, 61
이시이 마사미 [2] 222
이시카와 다카오 [2] 80
이시카와 다쿠미 [2] 126
이시카와 다쿠보쿠 [2] 79
이시카와 신이치로 [2] 388
이시카와 요시노부 [1] 110
이시카와 요시히로 [2] 200
이시카와 유키 [1] 312
이시카와 하지메 [2] 222
이시하라 마사이에 [1] 259
이시하라 스스무 [1] 338
이시하라 야마토리 [1] 347
이시하라 유스케 [1] 196
이쓰키 히로유키 [1] 411
이연숙 [1] 353
이오키베 마코토 [1] 306, 308 [2] 58
이와노히메 [2] 106
이와모토 마미 [1] 373, 374
이와모토 미치야 [2] 111
이와무라 가즈야 [1] 130, 269, 306
이와부치 고이치 [2] 151
이와사키 나오코 [2] 218
이와사키 다이키 [1] 374

이와사키 다케히코 1 353
이와사키 사호 1 348, 351
이와시타 아키히로 2 164, 183
이와야 사자나미 2 386
이와이 슌지 2 56, 80
이와이 아사노 1 407
이와이 히로시 1 353
이와자키 야스오 1 110
이와쿠니 데츤도 2 119
이와쿠라 도모미 2 142
이와쿠라 요시카쓰 1 134
이와타니 시게오 2 122
이이다 다이조 1 170
이이다 사오리 2 41, 220
이이무라 도모키 1 174, 270 2 63
이이오 준 2 129
이이지마 히데타네 1 206
이이호시 가(카)즈야 1 451 2 35, 274
이주인 아쓰시 1 138 2 164
이즈모 마사시 2 59
이즈미 쓰카사 2 334
이즈미 지하루 2 35, 227
이즈미 하지메 1 131, 134, 148, 150, 174, 232, 269, 270 2 61, 63, 64, 121, 124
이즈쓰 가즈유키 2 116
이지치 노리코 1 277
이치조 사유리 1 350
이치카와 도미코 1 150
이치카와 하야미 1 170
이치카와 후사에 1 179
이케가미 가즈오 2 59
이케가미 요시히코 2 191
이케다가(家) 2 351
이케다 게이코 2 129
이케다 리요코 2 390
이케다 사다요시 2 130
이케다 요시후미 2 183
이케모토 다케시 1 354
이케우치 사토시 1 425, 426, 427, 428 2 164
이케타 구사안 1 350
이케하타 슈헤이 1 133, 134, 138, 209, 319, 326 2 123, 250
이코마 도모카즈 1 348
이타니 사토코 2 354
이타쿠라 마사아키 2 347
이토 게이카쿠 2 56
이토 겐 1 412
이토 고타로 1 147 2 93
이토 노리오 2 197
이토 노부히로 2 226
이토 다카오 2 385
이토 도루 2 93
이토 도시조 1 110
이토 마사아키 2 151
이토 마사유키 1 353
이토 마사히코 1 451
이토 마코토 2 189
이토 사치코 1 408 2 44, 231
이토 소이치로 1 44
이토 아비토 1 102, 177, 347 2 184
이토 에미 2 42
이토 유이치로 1 110

이토 이사오 1 56
이토 호다카 1 348
이토 히로부미 1 97, 397 2 101
이하라 사이가쿠 2 330
이하라 준이치 2 249
이하 후유 2 69
이희석 1 353
인즈시 2 80, 83
임마누엘 페스트라이쉬 1 232

자오위제 1 248
자오지청 1 201
자오커진 2 88
자크 데리다 2 207
자타니 주로쿠 1 433
장꿰이어 2 79
장 모네 2 210
장 리옹 2 334
장 뱅상 플라세 1 202
장서우시앙 2 225
장셩쥔 2 88
장슈래 2 60
장시친 2 80
장원쩐 2 79
장윈링 1 225
장 자크 루소 2 167
장정지에 2 80
장후이즈 2 88
재러드 다이아몬드 2 150, 434
저우귀샹 1 248
저우진포 2 79
전재욱 1 353
제너럴 셔먼 1 246
제럴드 커티스 1 169, 210 2 164
제이 비(J.B.) 스트라우벨 1 202
제임스 웰커 2 153
제임스 최 1 202
제프리 삭스 1 229
제프리 킹스턴 2 150
젠린 2 246
조던 샌드 2 56
조지프 나이 2 205
조 케저 1 202
조 클라크 1 202
조나단 폴락 1 219, 220 2 313
조넨 2 267
조니 오쿠라 2 117
조세핀 베이커 2 334
조지마 고리키 1 165
존 하워드 1 201, 202
존 햄리 1 225, 226
종가(宗家) 2 227
좡상빙 1 258
주란 2 334
주성산 1 260
주송하 2 177
주웨이훙 2 81
주펑 2 88
줄리아 길라드 1 202
줄 베른 2 335
진구(神功) 황후 1 242, 423
진징이 2 214
진창룽 2 88
짐보 겐 1 206

짐 볼저 1 202
쪼 띤 쉐 1 202

차오량 2 310
차오야지에 2 78
차이타 2 88
채첩 1 410 2 330
처우뤄샨 2 81
척계광 2 50
척 헤이글 1 215
천리페이 1 242
천아이화 2 83
천젠 2 87
천팡밍 2 78
청샤오허 2 88
촘스키 2 247
총 메이즈 2 130
치우스제 1 249 2 214
친야칭 2 88

칼 하우스호퍼 2 197
케네스 강 1 205
케네스 로빈슨 1 96
케네스 루오프 2 221
케빈 러드 1 215
케슬러 2 310
쾨펠 연숙 2 115
쿠로야나기 시게오 2 272
크리스티나 피게레스 1 230
크리스틴 친킨 2 169
키무라 2 214
키즈나 아이 2 217

타니 바로우 2 170
타이델 2 361
탕추후이 2 79
테사 모리스 스즈키 2 163, 189
토비 히로타카 1 414 2 261
통더즈 2 88
통얀 2 162
투키디데스 2 461
트럼프(대통령, 정부, 정권) 1 133, 154, 161, 162, 189, 190, 193, 194, 196, 215, 219, 234, 235, 315, 319, 459 2 63, 101, 140, 283, 287, 297, 310, 311, 315
티 라플스(T. 라플스) 2 350
티무르 2 317
티안 유안 2 333

파울 크뤼천 1 229
판슈원 2 82
패트리샤 셀러즈 2 169
패트리샤 킴 2 312
퍄오홍렌 2 69
퍼트남 2 312
페이 阮 클리먼 2 110
펨펠 1 180
포드, 제럴드 2 174
폴 크루그먼 1 202
폴 크뤼천 1 229
폴 키팅 1 201
폼페이오 1 235
표우젠이 2 120
푸잉 2 88

푸틴 1 235, 456 2 293
푼살마 오치르바트 1 202
프란시스꼬 데 까브랄 2 167
프란츠 파농 1 418 2 200
프리드리히 엥겔호른 1 226
플라톤 2 217
피터 벡 1 205
피터 코니스키 1 169
필립 뷔르티 2 129

하가 야이치 2 342
하가 유리 1 381
하니야 유타카 1 414
하라 가즈오 2 114
하라구치 료코 2 161
하라 기미에 1 442
하라다 게이스케 1 274
하라다 겐 1 45
하라다 겐이치 1 135
하라 다카시 2 145
하라 다케시 2 203
하라 도모히로 1 353
하라오카 나오유키 1 207, 208
하루나 노부오 2 229
하루야마 유타카 1 207
하루키 이쿠미 1 347
하루타 소이치 2 156
하마다 도모아키 2 221
하마다 요 1 352 2 349
하마베 쇼야 1 274
하방용 1 410, 415
하버마스, 위르겐 2 204, 207
하세가와 고 1 353
하세가와 고지 1 324
하세가와 시로 2 126
하세가와 아키코 2 36
하세야마 아키라 2 60
하시다 스카코 2 393
하시모토 고로 1 206
하시모토 교코 2 220
하시모토 유 1 428
하시즈메 신야 2 54
하시모토 류타로 2 263
하시타니 모에카 1 415, 419
하야사와 마사토 2 41
하야세 도모노리 2 148, 149
하야세 신조 2 88
하야시 다테히코 1 91
하야시 마사히코 2 226
하야시 모토오 1 56
하야시 아라타 1 266
하야시 요시마사 1 59, 206
하야시 요코 1 97 2 230
하야시 유스케 1 352 2 349
하야시야마 가오리 1 451
하야시우치 류지 1 274
하야시 후미코 2 78
하인츠 피셔 1 202
하카마다 미쓰야스 2 106
하코다 데쓰야 1 95, 147, 148, 150, 151, 268, 269, 270, 306, 316, 323, 399 2 119, 120, 124, 125, 250
하타나카 아이 2 28
하타노 가와카쓰 2 389

하타노 스미오 2 164
하타 시게오 2 113
하타 유키 2 226
하타케야마 노보루 1 206
하토야마 유키오 1 35, 201, 202, 336 2 71, 284, 311, 524
할로넨 타르야 1 202
해리 하루투니언 2 163
헌트 2 196
헨리 파렐 2 147
헨미 요 2 82
헬게슨 게이르 2 88
헬렌 리 2 164, 187
헬렌 클라크 1 225, 226
호리 다쓰야 1 110
호리바 마키 1 274
호리 슌노스케 1 351
호리 아키코 2 151
호리야마 아키코 1 78, 131, 132, 133, 136, 138, 206, 209, 249, 251, 320, 321, 403, 404, 433 2 150, 158, 214
호리우치 미노루 1 433
호리이 가즈마 2 83
호리 히로코 2 35
호사카 산조 1 62
호소야 유이치 1 129, 147, 148, 149, 174, 269, 400, 401
호소카와 모리히로 1 294
호소카와 한조 2 388
호스위린 2 185
호시노 하루히코 1 353
호즈미 신로쿠로 2 87
호테이 도시히로 2 112
혼다 미호 1 451
혼다 오사무 2 219
혼조 도시히코 1 125
홉스 2 277
홋타 나나에 2 29
홋타 유키히로 1 210
홍무제(주원장) 1 446
황링즈 2 79
황위룬 2 79
황위샹 2 69
황위싱 2 88
후나다 나카 1 26, 44
후나바시 요이치 2 76
후나코시 다케히로 1 147 2 60, 120
후루야 마사아키 1 347
후루이 요시키치 2 79
후루카와 가쓰히사 1 165, 270 2 63
후루카와 다카히사 1 130
후루카와 모토히사 1 206, 306
후루카와 요시히사 1 177
후루쿠라 게이코 2 375
후사마에 하루나 1 381
후소 후미에 1 374
후지나가 겐이치 1 338
후지노 나오타카 2 33
후지노 요헤이 1 353 2 221, 222
후지모토 겐이치로 1 207
후지모토 다카히로 1 395
후지모토 다쿠미 1 411
후지모토 세이지 1 354
후지모토 신스케 1 273

후지모토 유카리 2 153
후지무라 마이 1 409
후지사와 게이코 2 332
후지사와 기이치 1 57
후지사키 이치로 1 180, 225
후지야마 도모히코 1 77, 78
후지와라 4형 1 436
후지와라 기이치 2 58
후지와라노 도시나리 2 387
후지와라노 후히토 1 245
후지와라 다카마사 2 82
후지와라 데이카 2 131
후지와라 미즈키 1 351
후지와라 유코 2 33
후지와라 히데히토 1 207
후지요시 유코 1 78, 320, 325
후지이 조지 2 218
후지타 나오야 2 151
후지타 도모히코 1 357, 407
후지타 마모루 1 125
후지타 스스무 1 274
후지타 아키요시 1 436
후진타오 2 284
후카가와 유키코 1 170, 175, 206, 207, 208, 270, 305, 306, 323, 331 2 88, 122, 149, 247, 249, 331
후카가와 히로시 1 274, 353
후카세 다카코 2 33
후카야 가쓰미 2 203
후카오리 스즈카 1 394
후카자와 시치로 2 385
후쿠니시 가즈유키 1 312
후쿠다 노부야 1 274
후쿠다 다케오 1 44, 53, 54 2 390
후쿠다 도미카즈 1 110, 113
후쿠다 마사토 2 226
후쿠다 야스시 1 79
후쿠다 야스오 1 83, 202 2 60
후쿠시마 데루히코 2 93
후쿠야마 데쓰로 1 36, 306
후쿠이 요시타케 1 351
후쿠이 유즈루 1 433
후쿠자와 유키치 1 96, 435, 437 2 116, 168, 196, 271
후쿠하라 유지 1 269 2 164, 204, 205
후키아게 준코 1 446 2 38
휘슬러 2 129
히가시노 게이고 1 448
히가시오카 도루 1 209
히가시타니 사토시 2 218
히구치 나오토 2 141, 164
히구치 유이치 1 432, 433
히구치 이치요 2 78
히노 게이조 2 341
히노 아시헤이 2 79, 146
히다 유이치 1 433 2 114
히다카 사와코 1 386
히데요시, 도요토미 1 94, 95 2 265, 268
히라나카 유카리 2 34
히라노 가쓰미 1 77, 78
히라노 가쓰야 1 419 2 248
히라노 게이이치로 2 56
히라노 겐이치로 1 94
히라노 다쓰오 1 310

히라노 도시유키 1 357
히라바야시 가오리 2 221
히라바야시 다이코 2 78
히라야마 요 2 271
히라야마 이쿠오 1 110
히라이 가즈오미 1 312
히라이 미쓰코 1 250
히라이 신지 1 110, 113
히라이 아키라 1 208
히라이와 슌지 1 136, 147, 148, 174, 210, 269, 270, 306 2 63
히라이 히사시 1 131, 151, 170, 174, 270, 402 2 60, 62, 63
히라카와 사치코 2 88
히라카와 히토시 2 58
히라타 데쓰야 1 348, 349
히로세 데이조 1 433
히로세 레이코 2 87
히로세 요이치 1 410 2 261
히로카와 아키테루 2 226, 386
히로히토 1 247
히비 요시타카 1 414 2 78, 81, 261, 334
히사다 가즈타카(회사임원) 1 274
히사다 가즈타카(교수) 2 60
히시카와 모로노부 2 145
히시키 가즈요시 2 331
히요시 아미 1 382
힐러리 클린턴 2 191

# 영문명(한국인 포함)

Aam AMINAH [2] 382
Ahamed Kameel Mydin Meera [2] 380
Ah-Rim PARK [2] 318
Aileen S. P. Baviera [2] 325
Aim Sinpeng [2] 302
Akihiko Nakano [2] 380
Akihiko Tanaka [2] 307
Aki Tonami [2] 306
ALDRIE ALMAN DRAJAT [1] 351
Alexander Bukh [1] 181
Alexander Hynd [2] 321
Alexis Dudden [2] 307, 370
Alma Blount [2] 377
AM AMINAH [2] 382
Ame Westad [2] 309
Amitav Acharya [2] 340
Anders KARLSSON [2] 371
Andrei Lankov [2] 301
Andrew MACINTYRE [2] 352
Andrew R. Capistrano [2] 277
Andy Yee [2] 306
Angela Uther Kane [1] 149
Angel Lin [2] 359
Anggi Dian Safitri HASIBUAN [2] 382
Anna Vassilieva [2] 307
Antonetta L. Bruno [2] 368, 371
Anushree SHARMA [2] 383
Ardhitya Eduard Yeremia [2] 325
Aries A. Arugay [2] 302, 325
Arne Westad [2] 309
ARUN Shyam [2] 83
Asger Røjle Christensen [2] 305, 306
Atteraya, Madhusudhan [2] 74
Ather Zia [2] 169
Ayumi [2] 306

Bae Chin-soo [1] 247
Balazs Szalontai [2] 377
Ban Ki-moon [2] 305
Barry Eichengreen [2] 309
Bas Hooijmaaijers [2] 326
Benjamin ELMAN [2] 371
Benjamin R. Young [2] 287
Bernhard FUEHRER [2] 371
Bernhard Seliger [2] 287, 294
Biontino Julian [2] 257
Bojana Dujkovic-Blagojevic [1] 248
Bong Young Shik [1] 168
Bora Park [2] 295
Boudewijn WALRAVEN [2] 371

Brad Glosserman [2] 308
Bridgette Brunk [2] 327
Bruce Henry Lambert [2] 377
Byeongho Jung [2] 336
Byongtaek Lee [2] 319
ByungKon Kim [2] 377
Byung-Yool Ban [2] 318

CAPRIO, MARK E. [2] 392
Carla P. Freeman [2] 327
Carol Hayes [2] 336
Carolyn I. Sobritchea [2] 377
Cécile Sakai [2] 336
Ceral Bayan [2] 294
Chang-Gun Park [2] 364
Chang Wook Lee [2] 318
Cheng-chieh CHANG [2] 336
Cheng-Chwee Kuik [2] 325, 326
CHENHUARONG [1] 349
Chen Jianan [2] 60
CHEN JIANHUA [2] 374
Cheol Hee Park(Park Cheol Hee) [1] 236
[2] 305, 306, 309
Chew Ging Lee [2] 380
Chien-kuo Pang [2] 60, 62
Chien-min Chao [2] 60, 62
Choong Yong Ahn [2] 309
Christina Yi [2] 336
Christine R. YANO [2] 183
Christopher W. Hughes [2] 308
Christopher Yung [2] 326
Chung-in Moon [2] 309
Chung Kyung-young [1] 179
Chungmoo Choi [2] 169
Clark SORENSEN [2] 371
Claudia Trevisan [2] 326
Colleen Murphy [2] 169
CUI LINA [1] 351
CUI YINGLAN [1] 348
Cynthia Cherrey [2] 377

Dafna ZUR [2] 370
Dali L. Yang [2] 326
Daniel A. BELL [2] 371
Daniel Bob [2] 307
Daniel Jong SCHWEKENDIEK [2] 371
Daniel P. Aldrich [2] 305
David Alenga [2] 287
David C. Kang [2] 340
David HOLLOWAY [2] 370
David Howell [2] 319
David Hudgins [2] 381
David J. Bulman [2] 326
David McNeill [2] 307
David M. Lampton [2] 326
David Plott [2] 309
David Scott [2] 321
David S. Lee [2] 287
David Y.H. Wu [2] 182
Davinder Leslie Bhowmik [2] 72
Dayu Mita [2] 83
Dean J. Ouellette [2] 327
Deborah Seligsohn [2] 326
Deniz Gevrek [2] 381

Desintha Dwi ASRIAN 2 383
DESMIWATI 2 382
Diane Sainsbury 2 377
Dian Ratna SARI 2 382
Dimitar Gueorguiev 2 302
Dingli Shen 2 340
DONGHEE SUH 2 365
Donghun Kim 2 380
Donghyun Park 2 381
Dong-Joon Jo 1 179
Dong Taek Kim 2 318
Doo-seung Kim 1 161
Doo-young Kim 2 321
DUAN XIAOQIN 1 349
Duk-min Yun 1 236

Edgardo Sobenes 2 321
Edward Kwon 2 294
Edward Mack 2 336
Edward Shultz 2 318
Elbridge Colby 2 307
Ellis Krauss 2 308
Emily Jungmin Yoon 2 169
Erdenebileg Khulan 2 357
Eric J. Ballbach 2 287
ERIK MOBRAND 2 365
Etsuko Yonezawa 2 376
Eugene Y. PARK 2 371
Eun-Jung Lee 2 359
Eunjung Lim 2 299
Excelsa C. TONGSON 2 382
E Zhenhui 2 59

Fang Yu Chen 2 301
Faye Yuan Kleeman 2 336
Franklin RAUSCH 2 371
Fred Jérémie Medou Ngoa 2 321

Gang Wang 2 302
GAO Qi-an 2 183
Gareth Evans 2 309
Ga Rida 2 59
Garth L. le Pere 2 326
Gary James Hickey 2 246
GENDUNASIER 1 350
Gerald L. Curtis 2 305
Gilbert Rozman 2 340
G. John Ikenberry 2 309
Gongpil Choi 2 306
Grace J. Yoo 2 169
Gregory Coutaz 2 61
Gregory T. Chin 2 326
Gui Yongtao 2 306
GU WENYING 1 350

HAN Jieun 2 371
Haofan Fang 2 290
Hartmut Lenz 2 61
Harvey Starr 2 322
Hasan ROYANI 2 382
HASIGAOWA 1 349
Heizo Takenaka 2 305
HEO YOON 2 365
Hideki Tamai 2 61
Hideya Kurata 2 299

Hino Midori [2] 183
Hitoshi Tanaka [2] 305
Hokusai [2] 246
Honda Hiroshi [2] 368
Hon-min Yau [2] 291
Hosok O [2] 318
Hosub JUNG [2] 318
Hsiang Lan LIU [2] 382
Hsu Chieh-Lin [2] 183
Huang Chih-Huei [2] 183
Huizhi Zhang [2] 290
Hur, Namlin(Nam-lin Hur) [1] 428 [2] 109, 345
Huy Le Anh HUYNH [2] 383
Hwee Rhak Park [2] 364
HWY-CHANG MOON [2] 365
Hyejung Ju [2] 376
Hye Kyoung Kwon [2] 169
Hyeokhui KWON [2] 370
Hyosun Kim [2] 336
Hyun-Ah Choi [2] 287
Hyun-Hoon Lee [2] 381
Hyun Seon Park [2] 169
Hyun-sook Kim [2] 319

Ihn-hwi Park [2] 287, 291
Imelda Hijiya Kirschnereit [2] 194
Im Hyug Baeg [2] 338
Inchan Park [2] 377
Inge Stephan Humboldt [2] 377
Inhan Kim [2] 339
Inkyung Um [2] 336
Iordanka Alexandrova [2] 339
Irmela Hijiya Kirschnereit [2] 194, 336
Isao, MATSUOKA [2] 391
Ithrana Lawrence [2] 325
Izumi Kazushige [1] 179

Jae Ho Chung [2] 326
Jaejin Yu [2] 336
Jaelim Oh [2] 377
Jaemok CHOI [2] 370
JAEWOO CHOO [2] 365
Jaeyeon Joo [2] 379
Jae-Yon LEE [2] 370
Jaganath Sankaran [2] 302
James B. Lewis [1] 428
James Huntley GRAYSON [2] 371
James I. Matray [2] 319
James Lee [2] 302
James Lewis [2] 321
J. Berkshire Miller [1] 211 [2] 305, 306, 307, 308
Jeff Kingston [2] 305
Jennifer Lind [2] 306
Jeonggon KIM [2] 370
Jeong-il Lee [2] 319
JeongWon Han [2] 377
Jeong Yeon Lee [2] 364
Jeon, Youngsoo [2] 260
Jian Zhang [2] 377
Jin Hee Park [2] 377
JIN Jaekyo [2] 371
Jin Jianbin [2] 359

Jisoo KIM [2] 371
Jiso Yoon [2] 376
Jiun-Da Lin [2] 302
Jiyeoun Song [2] 364
Ji Young Choi [2] 290
Jiyoung Kim [2] 301
J. James Kim [1] 167
John BREEN [2] 371
John Delury [2] 309
John Galtung [2] 321
John Nilsson-Wright [2] 309, 365
John P. DiMoia [2] 319
Jonathan GLADE [2] 370
Jonathan Malcolm Kuckhurst [2] 62
Jonathan Yainishet [2] 185
Jong Chol An [2] 318
Jong-sung You [2] 302
Jongyun Bae [2] 321
Jonson N. Porteux [2] 301
Joon-sub Kim [1] 194
Jooyeon RHEE [2] 369
Julia Cirne Lima Weston [2] 321
Julian E. Biontino [1] 410
Julie Matthews [2] 377
Junghee KIM [2] 370
Jung Kim [2] 61
Jungmin PARK [2] 318
Jungsil Lee [2] 169
Junho Yun [2] 290

Kalu Kingsley Anele [2] 321
Kanokwan Sarojna [2] 377
Kaocheng Wang [2] 61
Karen L Thornber [2] 336
Karín Lesnik-Oberstein [2] 377
Karl Friedhoff [1] 167
Karlian Cheng Chua [2] 149
Katharine H.S. Moon [2] 340
Kathleen Patterson [2] 377
Kathy E. Ferguson [2] 377
Kathy J. Phillips [2] 376
Kay Kitazawa [2] 306
Kazuhiko Togo [2] 307, 322
Kazuhiko Toyama [2] 305
Kazunobu Hayakawa [2] 381
Kazuo Ogoura [2] 305
Kazuto Suzuki [2] 308
Kazuya Yamamoto [2] 278
Kenji Nakayama [2] 61
Kent E. Calder [2] 307
Keon De CEUSTER [2] 371
Keum Hyun Kim [2] 377
Keunsik JUNG [2] 370
Kevin M. DOAK [2] 370, 371
Keyuan Zou [2] 322
Khin Ma Ma Myo [2] 325
Kijoo Kim [2] 290
KIM Byungjoon [2] 371
Kimie Harada [2] 88
Kimiko Osawa [2] 376
KIM SONIA [1] 350
Kitti Prasirtsuk [2] 60
Kresno Agus HENDARTO [2] 382
Krista Wiegand [2] 322

Kristine Kay ❷ 301
K. Sarkisov ❷ 58
Kubota Makiko ❷ 376
Kumiawati Hastuti DEWI ❷ 382
Kurahashi Yumiko ❷ 369
Kwangeui KO ❷ 318
Kwang Kyu Nam ❷ 295
Kwei-Bo Huang ❷ 61
Kyong Jun Choi ❷ 301
KYUNG-HAN LIM ❷ 365

Lai To Lee ❷ 340
Laura Hyun Yi Kang ❷ 169
Lawrence Monocello ❷ 185
LEE Eunjeong ❷ 371
Lee Hong-koo ❷ 309
Lee Jones ❷ 325
Lee, Ki Tae ❶ 193
Lee Myung-chan ❶ 193
Leo Ching ❷ 336
Leon V. Sigal ❷ 286
Letizia GUARINI ❷ 370
Liao Ziyi ❷ 155
Li Jin-mieung ❶ 247
LIM Eunjung ❶ 193
Lim John Chuan-tiong ❷ 149, 152
LI NANJIN ❶ 351
LIU HAN ❶ 349
LIU YANG ❶ 350
LI XIMING ❶ 348
LI XUEFEI ❶ 348
Lonnie Edge ❷ 321
LUO TAISHUN ❶ 348

Madelyn Ross ❷ 326
Madhusudhan ❷ 74
Magdalena Zolkos ❷ 169
MAH Insub ❷ 371
Maiko Ichihara ❶ 181
Malenica Mirco Michael Misan ❶ 347
Malgorzata Glowacka Grajper ❶ 260
Mamoru Nagano ❷ 381
Manhee Lee ❷ 299
Manneke Budiman ❷ 377
Marcelo Kohen ❷ 321
Margaret Stetz ❷ 169
Margarita Estevez-Abe ❷ 304
Maria Yotova ❷ 381
Mariko Ogawa ❷ 376
Marion EGGERT ❷ 371
Marion Jimenez-Tan ❷ 377
Mark E. CAPRIO ❷ 370
Mark Hopkins ❷ 365
Martin Pratt ❷ 321
Mary Alice HADDAD ❷ 370
Masao Okonogi ❷ 340
Masaru Tamamoto ❷ 304
Mathias Mbuh ❷ 377
Matsuura Rieko ❷ 370
Matthew R. Martin ❷ 377
Matthias Maass ❶ 193
Maurizio Riotto ❷ 319
Mel Gurtov(Melvin Gurtov) ❷ 305, 306, 326, 327

Michael Bourdaghs 2 336
Michael D. Shin 2 319
Michael Eric Hamel-Green 1 149
Michael Hsiao 2 377
Michael KIM 2 369
Miguel Santos Neves 2 294
Mika Shimizu 2 305
Mikyoung Kim 2 305, 306, 364
Ming Hwa Ting 2 305
Min Hye Cho 2 287
Minjae Park 2 377
Minju LEE 2 370
Minoru Koide 2 61
Miranda Schreurs 2 340
Mizukoshi Shin 2 359
M.L. Lakhera 2 364
Mohamad Fazli Sabri 2 377
Mohamed Jawhar Hassan 2 309
Mohd. Azmi Omar 2 380
Mouri Yoshitaka 2 359
Moustafa Bayoumi 2 377
M. Shabri Abd. Majid 2 380
Muramatsu Yasuko 2 376
MyonWoo Lee 1 193
Myung Chul Kim 2 290

Nam-lin Hur 1 428
NAM, Sang-wook 2 261
Naomi Garcia 2 327
Nathanael Gratis Sumaktoyo 2 301
Natsuko Ozaki 2 336
Nayan Chanda 2 309
Nedra Kline Weinreich 2 169
Neide Hissae Nagae 2 336
Ngo Phuong Lan 2 368
Nhu Truong 2 301
NISHINO JUNYA 2 365
N.K. Singh 2 309
Noboru Yamaguchi 2 306, 308
Nodari Simoniam 2 309
Norifumi Kawai 2 380
N.S. Siddharthan 2 364

Odd Arne Westad 2 319
Ogihara Saeko 2 387
OTANI YUKA 2 275

Pablo Ferrara 2 321
Pamela Cox 2 377
PARK Sohyeon 2 371
Patricia Ebrey 2 318
Paul Sheard 2 304
Peter A. de Hoog 2 376
Peter Hayes 1 149 2 305, 307, 309
PETER T.Y. CHEUNG 2 365
Peter Van Ness 2 305
Peter Ward 2 301
Pham Quang Minh 2 60
Philip Hsu 2 61
Philip J. IVANHOE 2 371
Poe, Edgar Allan 1 448
Pongkwan Sawasdipakdi 2 325
POPOVSKI, Vesselin 2 62

Randy Willemain ❷ 290
Ranjit Kumar Dhawan ❷ 287, 291
Rauha SALAM ❷ 382
Reiko Tachibana ❷ 377
REUBEN YP WONG ❷ 365
Richard D. McBride Ⅱ ❷ 319
Richard J. Samuels ❷ 305
Richard Weitz ❷ 290
Rong-Lin Wang ❷ 377
Ross KING ❷ 371
Rouli Esther(Rouli Esther Pasaribu) ❷ 83, 336
Roy Kamphausen ❶ 196
Rupakjyoti Borah ❷ 308
Ryoko OKAMURA ❷ 318
Ryunosuke ❷ 335
RYU Youngju ❷ 371

Saadia ABID ❷ 382
Sampson Lee Blair ❷ 378
Samuel S. Kim ❷ 340
Sandip Kumar Mishra ❶ 196, 410
Sandy Nur Ikfal RAHARJO ❷ 382
Sangbae Kim ❷ 364
Sang-Bok Moon ❷ 364
Sangeeta SHARMA ❷ 383
Sangho Kim ❷ 381
Sang-Hwan Lee ❷ 290
Sangjoon Kim ❷ 379
Sangkul Kim ❷ 295
Sanjukta Dasgupta ❷ 378
SATO YOICHIRO ❷ 365
Satu Limaye ❷ 309
Sawako Shirahase ❷ 304
Scott Alexander Snyder ❷ 340
Scott Desposato ❷ 302
Sehoon Park ❷ 291
SEKARDIATI YULIA ASTUTI ❶ 349, 350
Seohee Son ❷ 377
Seok-soo Lee ❶ 194
Seong-ho Sheen ❷ 290
Seong-Je LEE ❷ 318
Seung-Ho Kwon ❷ 378
Seunghye Lee ❷ 369
Seungjin CHUNG ❷ 369
Seungsook Moon ❷ 378
Shaun Breslin ❷ 326
SHAW, Johnny ❷ 62
Shin Mizukoshi ❷ 306
Shirin Zubair ❷ 378
Shuhei Kurizaki ❷ 277
SHYU Shing-Ching ❷ 148, 149
Siew-Mun Tang ❷ 364
Simei Qing ❷ 319
S.J.D. ❷ 295
Soobum Lee ❷ 376
Sookran Yoo ❷ 376
Sora Kim ❷ 369
SORIMACHI MASUMI ❷ 386
Sota Kato ❷ 304
Spencer Steinbach ❷ 327
Stein Tønnesson ❷ 309
Stephan Haggard ❷ 302, 307
Stephen Dodd ❷ 336
Sugio Takahashi ❷ 308

Sukjoon Yoon 2 290
Suk Yeon KIM 2 370
Sun-ae LEE 2 318
Sung Eun Choi 2 339
Sung-han Kim 1 236
Sung-Hwan Kim 2 309
Sung-Jo Park 2 294
Sung-jun Son 2 369
Sungmin Kim 2 359
Sungwoo KANG 2 369
Sung-Yoon Lee 2 321
Sunhye Moon 2 287
Sun Young Kwak 2 380
Susan Dewey 2 378
Susan Weinger 2 378
Su Seok Lee 2 295
Suzanne Rice 2 378
Sylvia Bashevkin 2 378

Taehwan Kim 2 309
Tae-Hyung Kim 1 193 2 299
TAEKYOON KIM 2 365
Taesuh Cha 2 290
Takako Hikotani 2 305
Takashi Inoguchi 2 307
Takayuki Nakane 2 336
Takehiko Kariya 2 307
Takenori MATSUMOTO 2 369
Takeshi, IMAI 2 391
Tang Siew Mun 2 60
Taskeen MANSOOR 2 382
Taslima Nasrin 2 383
Ten Veniamin 1 347
Teo Tang Wee 2 378
Terada Takashi 1 179
Teri L. Caraway 2 302
Teshima Takahiro 2 267
Tessa MORRIS-SUZUKI 2 371
THANDIKA MKANDAWIRE 2 365
Thomas Fingar 2 306
Thomas Jülich 2 369
Tien-Rein Lee 2 60
Titli Basu 2 308
T.J. Pempel 1 168
Tomer NISIMOV 2 318
Tomoko Hamada 2 381
Toshiaki Tachibanaki 2 307
Toshio Kobayashi 2 376
Tri Asututi WISUDAYATI 2 382
Tsukasa Izumi 2 336
Tsuneo Akaha 2 307
Tsuyoshi Namigata 2 336
Tuan Quoc HUYNH 2 383
Tuck Cheong Tang 2 380
Tze-ki Hon 2 319, 371

Ulrike Schaede 2 305

Vannarith Chheang 2 325
Vasanthi Raman 2 383
Vedi R. HADIZ 2 352
Victor Cha 2 340
Victoria Young 2 72
Vuong Hong Duc 1 413 2 261

Walter C. Clemens Jr. 2 326, 327
Wandana SONALKAR 2 383
Wang Jisi 2 309
Wang Li Xia 2 59
WANG, Shun-Wen 2 62
WANG WENYI 1 350
Wang Yihong 2 359
Wang Yong 2 309
Wan PARK 2 318
Warren A. Stanislaus 2 307
Webb Jonathan Christopher 1 348
Wei-jen Hu 2 60
Wei-Ting Yen 2 301
Wenfu Mou 2 291
WENGKANGJIAN 1 351
Wiebke DENECKE 2 371
Willy Vande Walle 2 246
W.J. BOOT 2 371
W. Lee Howell 2 309
Wonhyuk Lim 2 309
Wonjae Hwang 2 290
WOO JIN KANG 2 365
Woondo Choi 1 193, 194 2 364
WU Tong 2 371

Xiaotong Zhang 2 290
XIE RU 1 348
X.Jie YANG 2 394
Xuetong Yan 2 322
Xu Yping 2 148

Yang Hyeon JO 1 193
Yangmo Ku 1 193
Yeonhee Sophie Kim 2 286
Yi-jin PARK 2 370
Yiwen Li 2 369
Yoichi Funabashi 2 309
Yong-Chool Ha 2 321
Yong-Il Moon 2 61
YONG WOOK LEE(Yong Wook Lee) 2 365, 380
Yongwook Ryu 1 179
Yoon-Ho Kim 2 364
Yoriko Kawaguchi 2 309
Yorizumi Watanabe 2 308
Yoshihide Soeya 2 306, 308, 309, 340
Yoshitaka Hibi 2 336
Youenhee Kho 2 369
Young-Dahl Oh 2 299
Young Lan Kim 2 378
YOUNG-ROK CHEONG 2 365
Youngsoo Yu 2 61
Yuanchao Shan 2 336
YU, Hsiao-Yun 2 62
Yuichi Hosoya 2 306, 307, 308
Yujin Woo 2 301
Yuko Kawamoto 2 304
Yuleng Zeng 2 301
Yulia Kushnereva 1 248
Yu Long 2 321
Yul Sohn 2 364, 365
YUMI MOON 2 365
Yunchang Jeffrey Bor 2 61
Yuwei Hu 2 381

Yves Tiberghien 2 302

ZAN GUIJUN 1 350
Zha Daojiong 2 326
ZHANG MUHUI(Zhang Muhui) 2 278, 308
ZHANG XIAOLIN 1 351
Zhang Yan Ling 2 59
ZHANG YANYAN 1 350
Zhisong Wang 2 336
Zhou Chun Ming 2 59
Zhu Feng 2 326, 365

## 한자명(일본인)

桂島宣弘(가쓰라지마 노부히로) 2 259
楫取魚彦(가토리 나히코) 2 330
小池真理子(고이케 마리코) 2 275
国沢里美(구니사와 사토미) 2 275
吉田連(기치타노무라지) 1 424
(北村)透谷(기타무라 도코쿠) 2 393
北原武夫(기타하라 다케오) 2 335
(夏目)漱石(나쓰메 소세키) 2 393
中原雅人(나카라라 마사토) 2 348
中原中也(나카하라 츄야) 1 417
野口英佑(노구치 에이스케) 2 348
野村茂治(노무라 시게하루) 2 384
丹羽純一郎(니와 준이치로) 2 335
仁平政人(니헤이 마사토) 2 336
二本松泰子(니혼마쓰 야스코) 2 272
谷崎(潤一郎 · 다니자키 준이치로) 1 448
田坂公(다사카 고) 2 271
太矢一彦(다야 가즈히코) 2 341
多和田葉子(다와다 요코) 1 414
高瀬航平(다카세 고헤이) 2 348
田島昭子(다지마 아키코) 2 226
高橋孝治(다카하시 고지) 2 391
竹内祐介(다케우치 유스케) 2 387
竹内裕二(다케우치 유지) 2 271
滝浦真人(다키우라 마사토) 2 275
寺内正毅(데라우치 마사타케) 1 436
飛鳥隆(도비 히로타카) 1 414
松井督治(마쓰이 도쿠지) 2 271
森崎和江(모리자키 가즈에) 2 386
村上春樹(무라카미 하루키) 1 417 2 336
村田沙耶香(무라타 사야카) 2 335
三島由紀夫(미시마 유키오) 2 275
宮沢賢治(미야자와 겐지) 2 347
水足博泉(미즈타니 하쿠센) 2 393
讃岐典侍(사누키노스케) 2 387
佐々木幹夫(사사키 미키오) 1 81
迫田久美子(사코다 구미코) 2 388
杉村豪一(스기무라 고이치) 2 257
鈴江友香里(스즈에 유카리) 2 259
志田原由美子(시다하라 유미코) 2 275
渋沢栄一(시부사와 에이이치) 1 419
安部公房(아베 고보) 2 275
安藤聖野(안도) 1 413
秋谷公博(아키야 기미히로) 2 271
山田詠美(야마다 에이미) 2 260
山崎豊子(야마사키 도요코) 2 335
和朝臣(야마토노아손) 1 424
安丸良夫(야스마루 요시오) 1 419
円地文子(엔지 후미코) 1 448 2 275
大場健司(오바 겐지) 2 275

大城立裕(오시로 다쓰히로) 1 416 2 260
大島渚(오시마 나기사) 1 416 2 260
尾崎名津子(오자키 나즈코) 2 335
小此木江利菜(오코노기 에리나) 2 274
米沢竜也(요네자와 다쓰야) 2 257
横光利一(요코미쓰 리이치) 1 416 2 384
横山太郎(요코야마 다로) 2 341
梅田充(우메다 슈) 2 271
今村(이마무라) 2 182
石田仁志(이시다 히토시) 2 336
石川慎一郎(이시카와 신이치로) 2 388
糸井武(이토이 다케시) 2 344
平山洋(히라야마 요) 2 271

## 가타가나명

オイゲン・ヘリゲル(오이겐 헤리겔) 2 335

シュテファン・ケーン(슈테판 퀸) 2 335

ロバート・ティアニー(로버트 디아니) 2 335

ジュール・ウエルーヌ(줄 베른) 2 335

ロウリ・エステル・パサリブ(로우리 에스텔 파사리브) 2 335

インダ・サンティ・プラティディナ(인다 산티 프라티디나) 2 335

ピヤヌット・ウィリヤエナワット(피야눗 윌리야에나왓) 2 335

アントニウス・プジョ・プルノモ(안토니우스 푸조 프루노모) 2 335

デウィ・アングラエニ(데위 앙구라에니) 2 335

アントナン・ベシュレール(앙토낭 베슐러) 2 335

コン アラン 2 389

# 한자명

季超(계초) 2 226

高橋修(고교수) 2 335

高洁(고길) 2 384

高麗夏(고려하) 2 384

繳纈厚(교힐후) 2 390

吉田連(길전련) 1 424

金蒼生(김창생) 1 413

唐楚輝(당초휘) 2 79, 335

董炳月(동병월) 2 336

童元昭(동원소) 2 182

鄧亞曄(등아엽) 2 384

賴衍宏(뢰연광) 2 335

刘淼 1 415

伏泉(복천) 2 384

射世忠(사세충) 2 182

謝惠貞(사혜정) 1 416

徐一平(XU Yping · 서일평) 2 148, 247

徐興慶(SHYU Shing-Ching · 서흥경) 2 148, 149

孫歌(손가) 2 194

宋協毅(송협의) 2 345

滕夢微(승몽미) 1 417

申喻註(신유주) 1 415

梁孟哲(양맹철) 2 390

梁鵬飛(양붕비) 2 384

梁亞然(양아연) 2 384

吳密察(오밀찰) 2 182

吳爽(오상) 2 384

吳佩軍(오패군) 2 335

王安石(왕안석) 2 107

王維坤(왕유곤) 2 129

王志松(왕지송) 2 78, 334, 335

于乃明(우내명) 2 109

劉瑩眞(유예진) 1 413

陸一心(육일심 · 루이신) 2 335

李東哲(이동철) 2 345

林美容(임미용) 2 182

林志興(임지흥) 2 182

林苹苹(임평평) 2 348

林賢參(임현삼) 1 418

張建華(장건화) 2 384

张小明(장소명) 2 352

張珣(장순) 2 182

張亜璐(장아로) 1 448 2 275

張隆志(장륭지) 2 182

張彩虹(장채홍) 2 384

錢穆(전목) 2 344

田世民(전세민) 2 394

周星(주성) 2 111, 384

周婉窈(주완요) 2 182

曾柔(증유) 1 415
陳愛華(진애화) 2 83, 336
陳穎傑(진영걸) 2 348
陳玉芬(진옥분) 2 348
焦毓芳(초육방) 2 384
鄒波(추파) 2 345
何妨容(하방용) 1 415
解放(해방) 2 79
許南麒(허남기) 1 414 2 261
許進發(허진발) 2 182
胡家瑜(호가유) 2 182
胡潔(호결) 2 226
和朝臣(화조신) 1 424
黃智慧(황지혜) 2 181

# 재판 워처 – 누가 일본을 보고 있는가
## 인명 색인집

**초판 1쇄 발행** 2021년 11월 10일
**초판 2쇄 발행** 2022년 12월 20일

**지은이** 심규선
**펴낸이** 박성복
**펴낸곳** 도서출판 월인
**주소** 01047 서울특별시 강북구 노해로25길 61
**등록** 1998년 5월 4일 제6-0364호
**전화** (02) 912-5000
**팩스** (02) 900-5036
**홈페이지** www.worin.net
**전자우편** worinnet@hanmail.net



ISBN 978-89-8477-705-7 94340 (세트)
ISBN 978-89-8477-708-8 94340

값은 뒤표지에 있습니다.

이 책은 관훈클럽정신영기금의 도움을 받아 저술 · 출판했습니다.